CB001125

PENELOPE DOUGLAS

CONCLAVE

Traduzido por Marta Fagundes

2ª Edição

2024

Direção Editorial: Anastácia Cabo
Arte de Capa: Bianca Santana e glancellotti.art
Tradução: Marta Fagundes
Revisão: Ana Lopes
Revisão final: Equipe The Gift Box
Diagramação: Carol Dias

Este livro segue as regras da Nova Ortografia da Língua Portuguesa.

CIP-BRASIL. CATALOGAÇÃO NA PUBLICAÇÃO
SINDICATO NACIONAL DOS EDITORES DE LIVROS, RJ
GABRIELA FARAY FERREIRA LOPES - BIBLIOTECÁRIA - CRB-7/6643

D768c
2. ed.

Douglas, Penelope
Conclave / Penelope Douglas ; tradução Marta Fagundes. - 2. ed. - Rio de Janeiro : The Gift Box, 2024.
92 p. (Devil's night ; 4)

Tradução de: Conclave
ISBN 978-65-85940-05-4

1. Ficção americana. I. Fagundes, Marta. II. Título. III. Série.

24-87860 CDD: 813
CDU: 82-3(73)

NOTA DA AUTORA

Conclave é uma novela que se passa entre *Kill Switch* e *Nightfall.* Contém inúmeros *spoilers* de todos os livros anteriores da série *Devil's Night.* Se você é um amante dos Cavaleiros, eis aqui mais um título para acrescentar em sua coleção. Divirta-se!

PARTE I

DAMON

Entro e jogo as chaves na mesinha lateral à porta de entrada enquanto sigo meu caminho até a cozinha. Imediatamente olho para o andar superior, notando que não há uma única luz acesa.

Se ela tiver me deixado, vou caçá-la até os confins da Terra, e se ela tiver levado meu filho, aí, sim, vou passar um tempinho ensinando uma lição a ela. Isto é uma merda. *Quando eu ligo, você atende. Quando meus homens lhe entregam o celular, você simplesmente faz a porra de um telefonema!* Não faço a menor ideia do que fiz dessa vez, mas vou ter que quebrar alguma coisa para evitar fazer isso com aquele lindo pescocinho.

Interrompi minha viagem e vim às pressas para casa, porque ela decidiu ignorar meus telefonemas e dar piruetas em cima da minha paz de espírito. *Mas que porra?* Eu sabia que deveria ter continuado solteiro. E eu sabia que sabia disso, porque é isso o que as mulheres fazem, não é verdade? Elas te enlaçam numa rede e dão um nó do caralho até que você já nem é capaz de respirar, e...

Cerro os punhos, balançando a cabeça. *Besteira.* Isso é pura besteira!

Atravesso o vestíbulo em direção à cozinha, prestes a correr até a porta que faz conexão com a garagem, só para pegar algumas cordas para fazê-la se lembrar por quem ela está apaixonada, quando avisto uma pessoa no terraço e estaco em meus passos.

Está chovendo bastante. Quem estaria ali?

Resolvo dar uma olhada pela janela.

Heath Davis, um dos seguranças noturnos, contratados pelo Sr.

Garin, está recostado contra a parede de tijolos, abrigado da chuva abaixo do imenso toldo. As mãos dele estão enfiadas em seus bolsos e um cigarro se encontra pendurado em sua boca. Fumaça flutua acima de sua cabeça, e, na mesma hora, umedeço meus lábios, tentando ignorar a necessidade ardente em minha língua. Quando você não desiste totalmente de fumar, torna-se mais difícil resistir ao cigarro, e esse é o problema.

O cabelo escuro e cuidadosamente penteado para trás brilha abaixo da luz flamejante do alpendre, e os olhos azuis estão voltados para o jardim, observando alguma coisa.

Sigo a direção de seu olhar de imediato.

Winter está de pé na piscina, mergulhada até a cintura, de costas para nós; as gotas de chuva golpeiam a superfície da água, o cabelo loiro grudado em sua pele.

Solto o fôlego que nem havia percebido que estava contendo. Ela está aqui.

Ela levanta os braços e os agita pela chuva do cair da noite, dando um passo à direita. Seus braços acompanham seus movimentos quando ela se lança à esquerda.

Ela está dançando. Ela adora praticar na piscina, por conta do equilíbrio.

Mas então, observo quando ela puxa todo o cabelo por cima do ombro, revelando as costas nuas, e meu olhar vai descendo pela extensão de sua coluna, deparando com a nudez de sua cintura e quadris.

Levanto a cabeça, sentindo o sangue fervilhar. Ela não está usando nenhuma roupa.

Meu olhar se desvia para Davis. Ele mal consegue piscar, totalmente focado nela.

Quando mandei que ficassem de olho nela a todo instante, não foi isso o que quis dizer.

Winter se vira, ainda segurando o cabelo com as mãos, e seus braços cobrem os seios, mas percebo o tule branco que cobre seu rosto, e meu coração quase para. Aquilo é parte do figurino que ela usará em sua próxima apresentação, e ela está praticando com o tecido para se acostumar.

No entanto, usar apenas aquilo, sem nenhuma peça de roupa – e ela sabendo que eu não estava aqui –, me deixa puto da vida.

Vejo-a baixar os braços e balançar para o lado, estendendo as mãos para colher algumas gotas de chuva. Seu cabelo bagunçado, o tecido transparente em seu rosto, os seios perfeitos e sua pele…

Meu Deus, ela é surreal pra caralho. Com um toque que sempre lhe dará aquele aspecto angelical e inocente. O trovão estala no céu, e eu já não dou a mínima para o fato de ela estar chateada ou não. Eu quero entrar naquela piscina.

Vou até a geladeira e pego um sanduíche da bandeja; em seguida, retiro uma faca do faqueiro e divido o pão pela metade antes de sair da cozinha. Dou uma mordida, ainda segurando a faca com a outra mão.

Davis nota minha presença e endireita a postura na mesma hora, jogando o cigarro fora. Eu encaro Winter, seu corpo longilíneo se arqueando, curvando e me seduzindo, do jeito que só ela é capaz de fazer. Meu pau fica duro e pressiona o zíper da calça, e dou um olhar de relance para o cara. Posso apostar uma boa quantia de que ele está de pau duro também.

Davis pigarreia, antes de dizer:

— Você disse que devíamos ficar de olho nela o tempo todo.

Dou mais uma mordida e arrasto a lâmina pela cerca de ferro forjado, limpando a mancha de mostarda.

— Com licença, senhor. — Vejo-o abaixar a cabeça pelo canto do meu olho, e se virar para sair.

No entanto, eu o impeço.

— Me dê o seu cinto.

— Não entendi, senhor.

Eu enfio a faca no vaso de flores à minha frente, esfaqueando a terra escura.

Ele pigarreia outra vez, e ouço o tilintar da fivela enquanto ele rapidamente solta e retira o cinto.

Davis o estende na minha direção.

— Se você voltar a insultar minha esposa dessa forma — digo —, vou levar meu filho para pescar e usar a porra dos seus olhos como isca.

— Sim, senhor.

Não é culpa de Winter. Ela está na casa dela, tarde da noite, e devia estar imaginando que teria privacidade.

Arremesso o resto do sanduíche entre os arbustos e deslizo a ponta do cinto pela fivela.

— Vá para casa — ordeno.

Depois de apenas um instante, ouço a porta dos fundos abrindo e fechando, e sigo em direção ao *deck* da piscina, com o cinto em mãos.

Com a chuva, a escuridão e encoberto pelas árvores... eu a persigo calma e silenciosamente. É como se fôssemos crianças outra vez. Eu adoro me esconder com ela aqui fora.

Winter dança bem devagar, seus movimentos fluidos e lânguidos, sem acompanhar coreografia alguma. Ela ama dançar em estilo livre, e faz isso ao som da suave batida que vem da casa de hóspedes ao lado da piscina. Sua pele molhada brilha sob a parca iluminação da casa principal, e não desvio meu olhar dela enquanto retiro minhas roupas.

Deixo tudo em uma pilha no chão e pego o cinto de couro preto de Davis, enrolando-o na minha mão ao entrar na piscina. Ela para de se mover, gira a cabeça para o lado, aguçando os ouvidos, mas não se vira para mim ou diz qualquer coisa.

Ela sabe que sou eu.

Enfio a alça em meu pulso e atravesso pela água aquecida, reparando nas gotas brilhantes em suas escápulas à medida que a chuva atinge minha cabeça e braços.

— Tenho uma coisa pra você. — Inclino-me e roço sua orelha com a minha boca. — Você quer?

No entanto, ela afasta a cabeça.

Arqueio uma sobrancelha, apertando ainda mais o agarre no cinto.

— Você deve estar muito zangada — eu digo. — Eu ligo, você não atende. Envio flores, porra, Winter, flores do caralho, mas não recebo sequer uma mensagem de texto. Checo as câmeras de segurança, mas você simplesmente as desligou...

Ela se recusa a se virar para mim.

Deixo cair o laço acima de sua cabeça e puxo a alça, apertado, seu corpo se chocando contra o meu.

Ela ofega, e olho para baixo, vendo seus seios agitados com a respiração acelerada.

Inclino-me outra vez.

— O que fiz agora, hein? — rosno baixinho em seu ouvido.

Porém ela se vira bruscamente e o cinto escorrega da minha mão quando ela desliza pela piscina e se afasta de mim.

Ranjo os dentes, seguindo-a com o olhar. Ela se endireita em uma postura desafiadora, com as mãos estendidas à frente, acima da superfície da água, de forma que consiga sentir minha aproximação.

A alça do cinto se enrola ao redor de seu pescoço, a parte mais folgada caindo às suas costas, e por mais que não consiga ver seus olhos, percebo que seus lábios rosados estão entreabertos enquanto ela arfa por trás do tecido transparente e molhado.

— Não vai falar comigo? — Começo a circular à sua volta. — Humm... Eu devo ter feito algo muito ruim.

Seu cabelo adere a um de seus seios, e quase consigo sentir o gosto deles entre meus lábios.

E já não dou a mínima para o motivo de sua raiva, porque a quero em nossa cama nesse instante.

— Venha aqui — ordeno.

Mas ela se afasta mais ainda, sentindo minha aproximação.

— Venha aqui, Winter — digo com mais veemência.

Ela continua a andar em círculos enquanto eu faço o mesmo, a chuva dançando na superfície da piscina e espirrando em sua barriga. Cada pedacinho da sua pele está encharcado, e sinto minha boca secar na mesma hora.

— Agora.

No entanto, ela ergue um pouco mais o queixo, mantendo os lábios firmemente fechados.

Dou um sorriso sarcástico, e espero que ela possa ouvi-lo em minha voz, porque estou perdendo a porra da minha paciência.

— Sua irmã vinha quando eu a chamava — zombo.

E ali está. A fachada fria de Winter se desfaz. Seus olhos arregalam e se transformam em um olhar irritado quando ela avança e bate as mãos na superfície, de uma vez, para jogar água em mim.

Eu mergulho e a agarro quando ela se distrai, jogando-a por cima do meu ombro.

— Que garota encrenqueira... — repreendo, dando um tapa em sua bunda. — Por que eu não pude gostar das fáceis? Mas, não... eu tinha que desejar logo essa aqui.

Eu a seguro entre meus braços, mas ela arqueia o corpo para trás, me encarando com uma carranca enquanto empurra o meu peito.

Ponho minha língua para fora e lambo uma parte de sua barriga, sentindo o gosto da água. Um gemido escapa de seus lábios, mas ela vira a cabeça para o outro lado, em uma atitude desafiadora.

Meu pau já está mais do que pronto, mas é engraçado... Quanto mais puto ela me deixa, mais eu adoro esse momento, em segredo. Eu gosto quando as coisas não são fáceis. Abocanho um pouco de pele entre meus dentes, olhando para cima e deparando com seus olhos fechados, enquanto ela crava as unhas nos meus ombros.

— Grite comigo — sussurro. — Esbraveje. Me bata.

Agarro sua bunda com as mãos, mantendo o olhar focado nela à medida que arrasto a boca pela curva inferior de seus seios.

— Você está brava comigo? — digo contra sua pele, vendo os mamilos intumescidos por minha causa.

Ela não diz nada.

Meus lábios roçam seus seios enquanto continuo a provocá-la:

— Você quer ir embora para encontrar um homem decente?

Ela não deseja ninguém mais. É melhor que não queira outra pessoa. Ela gosta quando eu me comporto mal. Ela gosta de mim, e ponto-final.

Ainda assim, ela não me responde, mas também já não tenta me afastar.

Dou um sorriso zombeteiro.

— Você quer me tocar?

Quando continua em silêncio, eu a movo para o outro braço e agarro a ponta do cinto às suas costas com a mão livre. Eu puxo e forço seu pescoço a inclinar para trás, e então capturo um mamilo entre meus dentes.

Ela ofega.

— Damon...

Mordisco com força e abocanho seu seio, chupando gostoso e sentindo seu clitóris latejar contra a minha barriga.

— Você me odeia? — brinco, caminhando até a parte mais rasa da piscina e colocando-a de pé. — Você quer acabar tudo comigo? É isso?

Eu a empurro contra a parede, vendo um sorriso curvando seus lábios antes de ela rapidamente tentar escondê-lo.

— Você odeia o que faço com você?

Ela morde o lábio inferior, respirando profundamente.

Eu a faço se virar, enlaço sua cintura com o meu braço e a imprenso contra a borda da piscina, meu hálito quente soprando seu cabelo. Meu pau está tão duro, que já sinto o pré-sêmen gotejando.

— Fale comigo — insisto.

Puxo seu queixo na minha direção e cubro sua boca com a minha por cima do tecido, e uma corrente elétrica atravessa meu corpo inteiro quando sinto a ponta de sua língua roçar meus lábios, mas não consigo sugá-la, por causa daquela porra de tule. Meu corpo todo está em agonia. Eu preciso dela.

— Fale comigo — sussurro contra sua boca. — Por favor.

Ela permanece em silêncio.

Mordisco seus lábios, e deslizo minha mão pela sua bunda, provocando aquele ponto que sempre a deixa um pouco apavorada.

Ela estremece quando a empurro para frente e a obrigo a abrir a perna e apoiar o joelho em um degrau. Ela se reclina contra o *deck* da piscina enquanto esfrego seu clitóris com uma mão e sua bunda com a outra. Meu pau, obviamente, sabe a direção que deve tomar, e pressiona contra sua entrada apertadinha.

Vejo-a engolir em seco.

— Fale comigo — advirto. — Se quiser que eu pare...

Então você vai ter que pedir.

Sua mandíbula flexiona à medida que ela mantém a boca fechada, e nem sequer estou zangado. Eu não quero mais parar. A chuva cai à nossa volta, e eu me inclino contra suas costas, chupando as gotas de água que deslizam livremente enquanto meu pau cutuca mais ainda sua entrada. Ela geme baixinho quando pressiono contra o buraco apertado e paro.

— Damon — ela ofega, o queixo tremendo nervosamente por conta do que estou fazendo. — Damon...

Mas cubro sua boca com a minha mão e a puxo contra mim, suas costas arqueando de um jeito lindo pra caralho, e não estou nem na metade dentro dela ainda.

— Você teve a sua chance — sussurro em seu ouvido. — Agora é a minha vez.

Lentamente, deslizo o restante do caminho, indo com calma tanto por mim quanto por ela. Ela precisa se ajustar ao meu tamanho, mas ela é tão apertada que é capaz que eu acabe antes mesmo de começar.

Eu me enfio até o talo, sentindo a pele fria de sua bunda contra a minha virilha, e paro por um instante para que ela se acostume com a sensação. Seu corpo estremece entre meus braços, mas assim que sua respiração se tranquiliza, começo a me mover.

Deslizando para dentro e para fora, superficialmente, a princípio, sinto seus músculos contraírem ao meu redor, e já estou de pernas bambas. Estou pouco me lixando para o que fiz. Eu pegaria, na maior satisfação, um voo de oito horas por isso aqui. Tudo o que ela tem que fazer é pedir.

Depois de um minuto, sinto seu corpo recuar, contra o meu, e afasto minha mão de sua boca.

— Não fale nada — eu digo. — Só aceite.

Agarro seu quadril com uma mão e o cinto com a outra, e fodo aquela bundinha apertada, me livrando de toda a frustração que ela me causa e que tanto amo. Eu beijo e mordo seu pescoço e lábios, devorando-a com vontade enquanto afundo meu corpo contra o dela e me deleito com seus gemidos.

— Homens decentes não fazem isso — comento. — Mas é por isso que sempre quis essa garota aqui. Ela é diabólica, exatamente como eu.

Ela crava as unhas no *deck* da piscina, o pescoço inclinado para trás por causa do cinto, e quando olho para baixo, vejo meu pau entrar e sair, quase encoberto pelo cabelo molhado que alcança sua bunda.

— Mais forte — ela geme.

Seguro sua mão e a coloco em seu clitóris, vendo seu braço mover com rapidez à medida que ela mesma se acaricia enquanto a fodo.

Ela geme mais alto, e sinto seu corpo estremecer, e arremeto com mais força, puxando o cinto o máximo que consigo.

Ela grita, e em apenas mais três estocadas eu faço o mesmo, cada um dos meus músculos queimando de pura exaustão.

Ah, meu Deus. Meu corpo inteiro se acende, minha alma explode em êxtase, e solto o cinto, deixando-a tombar para frente antes que eu quebre seu pescoço. Ela se deita na borda da piscina, gemendo e arfando, e afrouxo o aperto de meus dedos em seu quadril, descravando as unhas de sua pele.

Ela dá um gemido angustiado quando deslizo para fora de seu corpo, mas não me afasto muito mais que isso. Ao invés, eu me inclino e recosto minha testa contra suas costas.

— Eu te amo — afirmo.

Ela não responde, e estou fraco demais para continuar fingindo.

— Okay, tudo bem — admito. — Sim, talvez eu tenha ameaçado seu coreógrafo com... — Procuro as palavras certas para não a deixar mais brava ainda — a possibilidade de arrancar cada um de seus membros. Eu não gosto de vê-lo colocando as mãos em você. Só eu posso colocar minhas mãos aí.

Ele não precisava segurá-la no alto e com as mãos tão para cima e por dentro de suas coxas, pelo amor de Deus... Estou pouco me lixando para o nome desse tipo de passo com levantamento e não dou a mínima se ele é gay. Não, senhor.

— Todos eles precisam saber, caralho... — explico. — Eles têm que te respeitar, e a mim também, para que quando Ivarsen for mais velho, ele não precise lembrá-los disso do pior jeito. — Eu aprumo a postura e a faço se virar para mim, enrolando suas pernas ao redor da minha cintura enquanto flutuamos de volta para a parte mais funda da piscina. — A única pessoa que consegue deixar o pai de Ivar Torrance de joelhos, é exatamente sua mãe.

Eu quero que todos me respeitem. Ele não toca a minha mulher daquele jeito, e se para isso eles precisarem ter medo de mim, tudo bem.

Ela curva o canto da boca de um lado só, parecendo nem um pouco impressionada, mas pelo menos já não está com raiva.

Acaricio seu nariz com o meu.

— Me perdoa?

Ela suspira, até que lentamente assente.

Eu sorrio, aliviado.

— Então fale comigo...

No entanto, ela nega com um aceno de cabeça.

Eu rosno e a solto, me afastando em seguida.

— Então, se não é por isso que você está com raiva, que caralho eu fiz dessa vez? — Dou um tapa na água. — Puta que pariu!

Ela se ajeita e dá uma resposta neutra:

— Você ganhou a aposta.

Em seguida, ela se vira, vai até a beira da piscina e sai.

A aposta...

Leva apenas um instante para eu entender do que ela está falando. A aposta. Meu peito estufa, e um sorriso se espalha pelo meu rosto antes de eu mergulhar até a borda da piscina para alcançá-la.

— E você me deixou te foder desse jeito? — repreendo, impulsionando meu corpo para cima e erguendo-a em meus braços novamente.

Ela me enlaça com as pernas e braços, e olho para seu rosto lindo enquanto ela se livra do tecido e do cinto ao redor do pescoço.

— Sim, porque eu precisava disso — ela admite, parecendo um pouco envergonhada. — Você sabe muito bem que eu fico louca de tesão no primeiro trimestre.

Dou uma risada e a abraço com força. Nunca imaginei que seria bem-sucedido. Depois do nascimento de Ivarsen, eu só quis continuar a produção. Ter filhos nos nossos vinte e poucos anos, criá-los nos trinta, e enviá-los para a faculdade em nossos quarenta, quando ainda fôssemos jovens o bastante para usufruir da casa só para nós, curtindo um pouco de safadeza, entende?

Mas ela leu em algum lugar que crianças talentosas geralmente são filhos únicos, ou têm uma diferença de cinco anos ou mais entre os irmãos. Ela queria que Ivar tivesse nossa completa atenção durante sua primeira infância, ou uma merda dessas.

Daí, eu fiz uma aposta. Ela ficaria grávida se eu pudesse engravidá-la. Mesmo que ela estivesse usando contraceptivos.

Eu sabia que era uma espécie de Superman.

— Você está brava por estar grávida de novo? — zombo.

— Estou brava por ter perdido a aposta — ela retruca.

Eu a beijo com vontade.

— Você realmente acha que não vou te deixar ter qualquer coisa que quiser?

Ela sorri.

— Sério?

— Você quer uma moto, então você vai ter uma moto.

Seu rosto se ilumina com o sorriso lindo e animado que ela dá, e é a melhor coisa que já vi na vida. Mal posso esperar para levá-la, no meio da noite, para um passeio pelas estradas desertas.

Depois que o bebê nascer, é claro.

— Eu te amo — ela finalmente diz.

— Que bom.

Eu a coloco de pé e ambos entramos na casa de hóspedes ao lado da piscina e pegamos as toalhas esticadas abaixo do toldo.

— E para ser justa, eu não estava tentando encurtar sua viagem — ela explica. — Eu sinto muito. Eu só estava tentando te deixar pau da vida para que viesse me perseguir quando voltasse para casa.

Um sorriso malicioso se espalha pelo seu rosto.

Honestamente, eu já nem me importo mais. Michael e Kai são capazes de cuidar de todas as reuniões, e eu adoro os joguinhos angustiantes que eu e Winter fazemos. Quando estávamos na cama – ou na piscina –, era como se nunca tivéssemos saído do colégio. Ainda éramos adolescentes com um tesão eterno, e eu me sentia vivo novamente.

Enrolo uma toalha ao redor da minha cintura.

— Ele tem se comportado?

— Sim. — Ela assente. — A babá queria dar a ele um pedacinho de chocolate, para ver qual seria a reação, mas falei que era para esperarmos você chegar.

Cacete. Primeira vez comendo um chocolate? Isso é marcante.

Winter ficou receosa em contratar uma babá a princípio, sentindo-se culpada por não dar conta de tudo sozinha, mas foi uma boa decisão. Isso nos dava um pouco mais de tempo a sós, aqui e acolá.

Ela se cobre e eu seguro sua mão.

— Vamos... Eu quero vê-lo.

Sei que ele está dormindo, mas já havia se passado uma semana. No entanto, ela estaca em seus passos, nos fazendo parar.

— Ele, hum...

Eu a encaro e já começo a sentir uma tensão imediata.

— O que foi?

— Ele, hum... — Ela engole em seco. — Não está aqui.

Como é que é?

— Ele não está aqui? — repito. — Ele tem um ano de idade, Winter. Onde ele está?

Ela se move, inquieta.

— Rika queria ficar com ele esta noite.

— Rika... — replico. — E ela o levou até Meridian?

Winter desvia o olhar para outro lado, dizendo tudo o que preciso saber.

Aceno com a cabeça e agarro sua mão, levando-a de volta para casa.

— É claro que não.

Minutos depois, estamos no carro e acelerando pela estrada, em direção à mansão dos Fane. Eu não acredito que elas fizeram isso enquanto eu estava fora. Se não tivesse voltado para casa esta noite, eu ficaria sabendo dessa façanha?

Winter está sentada ereta, usando uma calça jeans e um suéter azul-marinho, o cabelo penteado e preso em um rabo de cavalo apertado e seu rosto está voltado para o meu.

— Não fique bravo comigo.

— Você sabe como me sinto a respeito disso — resmungo, agarrando o volante com força. — Ninguém mais está do meu lado. Nem mesmo a Nik. Você tem que me apoiar nesse assunto.

— Eu apoio — ela se apressa a dizer. — É só que... eu não sei. — Um ar culpado domina seu semblante. — Eu só acho que senti pena dela. Rika disse que ficaria lá o tempo todo. Eu não arriscaria a vida dele, Damon.

A "avó" dele é o perigo.

Quero sentir raiva de Winter. Ela, acima de qualquer pessoa, deveria estar ao meu lado. Ela sabe o porquê não quero Ivarsen perto de Christiane, e é por uma boa razão, porra.

Mas, em contrapartida, sempre dou um jeito de aparecer e dar uma lição no coreógrafo dela, também confiro se o antigo colega dela, o tal Ethan, perdeu o interesse em fotografias.

Mas estamos falando do nosso filho, cacete. Elas não podem tomar decisões a respeito dele sem a minha presença. Rika não tem que enfiar o nariz onde não é chamada.

— Você sabe que ela não tem como se redimir se você não lhe der uma chance — Winter salienta.

— Ela teve uma chance.

Depois de uma breve pausa, Winter acrescenta:

— Sim, e nós também. — Sua voz é sombria enquanto ambos encaramos o para-brisa. — Ainda bem que decidimos dar uma chance ao outro outra vez.

Atravesso a casa imersa em penumbra, segurando a mão de Winter, e avisto Rika parada do lado de fora da biblioteca, espiando por trás das janelas das portas fechadas. Algumas pessoas estão ao seu lado, e acelero os passos, vendo Christiane, por trás dos vidros, sentada em uma cadeira, com Ivar aninhado em seus braços. Um homem está na sala, lhe fazendo companhia, lendo calmamente no sofá enquanto ela nina meu filho.

Estendo a mão e agarro a maçaneta, mas Rika se vira e se posta na minha frente, cobrindo minha mão com a dela.

— Saia da frente.

— Ela não está fazendo nada de mal a ele.

— É isso aí. E não vai fazer mesmo.

— Damon, se acalme — o cara perto dela diz.

Olho por cima da cabeça de Rika e avisto o primo de Will, Misha.

Eu o encaro, irritado.

— Vá se foder.

Winter grunhe baixinho ao meu lado, e uma outra garota ao lado de Misha comenta:

— Ah, então esse é o Damon.

No entanto, volto a olhar para Rika, fumegando de raiva.

Ela me encara, sem desviar o olhar.

— Misha? — ela diz. — Vocês poderiam nos dar licença rapidinho?

Isso aí, faça o favor. Cai fora daqui.

Winter se solta do agarre da minha mão.

— Misha, você poderia me levar ao solário? — ela pergunta a ele, e então emenda: — Vou deixá-los a sós. Sinto muito, Rika.

— Eu que peço desculpas por ter te colocado no meio disso, Winter — Rika diz.

Eles saem dali, e tento afastá-la para passar, meu olhar se desviando dela para Ivar.

— Aquele bebê não absolve sua culpa. — Rika se posta na minha frente outra vez, tentando atrair meu olhar. — Ele não apaga o seu passado e não o torna melhor do que ela.

Eu a encaro, pau da vida e digo, entredentes:

— Sai da frente.

Mas ela não se move um centímetro.

— Você me amarrou numa cama — ela diz. — Me beijou, me mordeu. Mesmo me vendo chorar, desesperada.

A lembrança de todos os momentos em que tentei machucá-la – que realmente a machuquei – se infiltra em minha mente, mas eu a afasto.

— Você queria me compartilhar com seus amigos — ela continua. — Me queria para si mesmo por um tempinho, lembra disso?

Meu estômago dá um nó. Mas que porra?

— Eu, sua irmãzinha... — ela zomba.

Agarro seu braço e a afasto das portas, empurrando-a contra a parede.

— Não fale sobre essa merda — sussurro, fervilhando de ódio. — Nunca mais quero ouvir você tocar nesse assunto outra vez.

— Você me jogou no chão e tentou arrancar as minhas roupas...

Eu recuo e enfio a mão no meu cabelo, puxando com força. Mas que porra? Achei que estávamos numa boa. Por que ela está fazendo isso?

— Eu não te queria — ela prossegue —, mas você me forçou a beijá-lo do mesmo jeito.

Agarrando-a pelo pulso, a levo até a cozinha, seus pés descalços pisando com força no piso de madeira. Eu a imprenso contra a parede e a encaro.

— Eu nunca teria feito nada — rosno, já sem conseguir manter o tom de voz baixo. — Eu nunca te machucaria!

— Eu sei.

Ela responde tão rápido e com tanta facilidade que quase hesito, porque estava esperando que argumentasse mais.

Ela sabe. Ela sempre soube.

Bom, pelo menos isso. Mas, ainda assim... ela não pode comparar Christiane comigo. Não somos da mesma laia. Sim, eu cometi uma porrada de erros, mas não sou um pai ruim, e isso é a pior coisa que alguém poderia ser.

E ela foi uma péssima mãe por vinte e três anos consecutivos. Ela não somente abandonou seu filho, mas também me colocou aos cuidados de gente perversa.

Cometi meus erros quando era mais novo. Quando estava zangado. Quando me sentia... sozinho.

Não sou mais nenhuma dessas coisas.

O que Christiane poderia alegar em seu favor, hein?

— E sei que você nunca vai me machucar — Rika diz, os olhos agora marejados e mais suaves. — Eu confio em você. Então, confie em mim.

Estreito o olhar, uma parte minha querendo conceder o que ela quer. Nada mais justo, e eu quero confiar nela. Mas ela é boa demais em conseguir extrair as coisas de mim. Em sacrificar sua rainha para conseguir capturar o meu rei.

Nós nos encaramos, suas palavras pairando no ar, mas então escuto o toque de um telefone e ela leva a mão ao ouvido, dando um tapinha suave em um fone minúsculo.

— Erika Fane — ela atende ao telefonema, ainda me encarando. — Charles, que bom falar contigo.

Um brilho ilumina seus olhos, e fico ali parado, enquanto ela se mantém colada à parede, me observando o tempo todo em que conversa.

— Sim, meu assistente enviou o itinerário. Mal posso esperar. — Ela sorri.

Os nós no meu estômago lentamente começam a se desfazer, minha respiração se acalma enquanto a aguardo.

Charles... itinerário... Ela tem estado ocupada, tentando finalizar sua graduação e atuando como a prefeita da cidade. É bem impressionante, na verdade. Colocar Rika nesse cargo foi a melhor ideia que já tive.

— Ah, tenha certeza de que nossos futuros ex-alunos estarão em boas mãos — ela diz à pessoa com quem está conversando. — Estarei lá bem cedo. — Ela ri e ouço uma voz masculina do outro lado da linha. — Ah, pois é, você me conhece. Estou sempre preparada.

Eu a observo, tão graciosa e educada. Uma verdadeira jogadora.

— Não, Michael está em Londres — ela informa. — Mas deixe o lugar dele reservado. — Ela olha para mim. — Pode ser que eu leve um acompanhante.

Quase dou uma risada debochada. Ela se referia a mim?

A cadela simplesmente se apossou do meu rei. Ela sabe que quero muito isso. Acompanhá-la em um evento em Thunder Bay, fazendo uma aparição pública em um evento respeitável. Tendo minha mulher, meus filhos e minhas irmãs ao meu lado, enquanto lentamente construo minha família e nosso mundo, para que quando meu filho – meus filhos –, sejam maiores o suficiente para se lembrar, não saibam que tudo aconteceu de forma diferente.

Ela realmente confia em mim. Meu Deus, não faço ideia do porquê, mas... ela me deixou ir, quando poderia ter me entregado. E então, ela me resgatou e sangrou por mim, lutou ao meu lado...

— Eu sei o que você faz com pais que te machucam — ela diz, finalmente, voltando à nossa discussão. — Você acha que eu a colocaria em seu caminho se não tivesse certeza?

Minha boca se curva para um lado, em um sorriso zombeteiro.

— Você tem medo de mim?

— Nossa, muito... — Ela acena exageradamente.

Começo a rir e me viro, me acalmando um pouco enquanto vou até a pia e encho um copo d'água.

Tomo tudo de um gole só, vendo-a tirar algumas coisas da geladeira.

Ela prende o cabelo em um coque e pega uma fatia de pão, colocando um pouco de salada de atum nele. Uma pontada de fome me atinge com o cheiro, e percebo que tudo o que havia comido no dia de hoje fora apenas aquela metade de sanduíche, meia hora atrás. Eu paro ao seu lado e pego uma fatia também, colocando a mesma salada no pão.

— Charles — repito o nome da pessoa com quem ela estava conversando — Kincaid?

Nosso antigo diretor, que ainda mantém o cargo na Escola Preparatória de Thunder Bay, e que ajudou o pai de Winter a acabar comigo na manhã em que fui preso?

Rika sorri para si mesma, e a vejo pegar a única fatia de pão cheia de salada, dobrando tudo ao meio e arrancando a casca de um lado. Vacilo por um instante, desviando o olhar para o meu próprio sanduíche, que se encontra dobrado do mesmo jeito. Humm...

— Farei o discurso de boas-vindas, amanhã, aos alunos do último ano — ela explica, dando uma mordida.

— E Michael e Kai estão em Londres — acrescento —, tentando contratar aquele arquiteto.

Eu estava lá também. Até que Winter decidiu bancar a engraçadinha.

O que significa que Rika não tem ninguém para acompanhá-la, a não ser eu.

Ela vai até a bancada central da cozinha e se senta em uma banqueta, apoiando os cotovelos no balcão.

— Quero dizer, você não tem que me acompanhar — explica. — Sou perfeitamente capaz de cuidar de mim mesma. E os Anderson estarão lá, isso sem mencionar o Kincaid, que ainda te odeia, então...

Ela estava tentando me deixar animado?

— Talvez sua aparição lá acabe causando alarde. — Ela finge um suspiro, soando até mesmo desolada. — E eu sei que você gosta de passar despercebido.

Dou uma risada irônica, arrancando a casca do pão. Ela é tão boa quanto Winter em me sacanear, mas não posso dizer que não me divirto com isso.

No entanto... eu também sei que ela quer uma demonstração de confiança.

Não quero Ivarsen perto da mãe de Rika, mas não estou tão certo se a razão é por não confiar nela.

Talvez eu queira puni-la. Talvez esteja com ciúmes porque ele vai receber aquilo que não tive a chance de ter.

Encaro o sanduíche que já nem quero comer, sentindo meu estômago revirar com a queimação da bile na garganta.

Se quero manter o relacionamento com Rika, e tê-la na vida dos meus filhos, não há como evitar a presença constante de Christiane. Não quero ter que explicar por qual motivo eles não podem vê-la e frequentar sua casa.

Tudo bem, porra.

— Ele pode ficar aqui esta noite — digo, por fim —, e daí nós vamos ver como as coisas ficam.

Ela permanece em silêncio, mas vejo pelo canto do olho que está me encarando.

— Qualquer coisa além disso tem que passar pela minha aprovação. — Eu a encaro. — Entendeu?

Ela assente.

E se Christiane me decepcionar, ela vai se encontrar com o Criador antes de conhecer qualquer outro filho meu.

Largo o sanduíche em cima do balcão e encho meu copo com mais água, pois preciso tirar o gosto amargo da boca.

— Winter está grávida de novo, não está? — Rika pergunta, dando mais uma mordida.

— Como você sabe?

Ela dá de ombros.

— Ela tem estado cansada, com náuseas.

Bom, isso explica o porquê de ela ter desligado as câmeras de segurança. Ela não queria que eu a visse passando mal. Observo a garganta de Rika se mover para cima e para baixo enquanto engole o pão, e sua mandíbula contrai como se ela estivesse imersa em pensamentos.

Tomo mais um gole da água e despejo o restante na pia.

— O quê?

Ela desvia o olhar para mim.

— Nada.

Sua resposta não é nada convincente. Ela está pensando em alguma coisa.

— O que é? — repito, irritado.

— Não é nada — ela retruca.

Ela encara o sanduíche em sua mão, e decido deixar o assunto de lado. Ela sabe muito bem como resolver seus próprios problemas.

O que me lembra...

— Aproveitando que estamos no assunto, quero te ver casada antes que você tenha um filho do Michael.

Ela começa a rir na mesma hora.

— Você quer, é?

Assinto.

— Kai se casou com Banks em um dia. Por que essa demora toda com vocês?

As coisas eram diferentes quando ela era apenas a namorada do meu amigo, mas agora isso precisa mudar.

— Você e Winter não se casaram ainda, do mesmo jeito.

— Nós estamos esperando que Will volte para casa — saliento.

— É, eu também — ela responde, rapidamente, agarrando-se à primeira desculpa plausível que fui imbecil demais em dar de bandeja.

Mas não é por esse motivo. Eu sei que não. Eles já estão noivos há um bom tempo, e Will só saiu da cidade há pouco mais de um ano. A princípio, pensei que fosse por causa de Michael. A agenda tumultuada dele, os compromissos etc.

No entanto, acho que ele não tem nada a ver com essa demora. O que está acontecendo com ela?

Observo-a brincar com o pão, lembrando-me da primeira vez em que estivemos sozinhos em uma cozinha. Eu devia ter uns quinze anos. Ela me viu, perdeu o fôlego na mesma hora e saiu rapidamente.

Agora, ela raramente dá um passo sem que eu saiba ou opine a respeito.

— Você sabe o que significa um conclave papal? — pergunto.

Ela acena com a cabeça, de leve, e responde:

— Hum, mais ou menos.

Enfio as mãos nos bolsos e recosto-me à geladeira.

— Quando chega a hora de eleger um novo papa, todos os cardeais do colegiado, e com idade abaixo de oitenta anos, se trancam em uma sala até que cheguem a um consenso na decisão do novo pontífice — explico. — Eles começaram a fazer isso porque cerca de oitocentos anos atrás, levou quase três anos para que um novo papa fosse escolhido por conta de disputas políticas internas. As pessoas não resolvem os problemas se não forem forçadas a encará-los, entende? Agora, os cardeais são guiados até a Capela Sistina, e, em seguida, há um aclame de "*extra omne*", o que nada mais é do que a ordem para que todos saíam dali, a não ser os cardeais. As portas são trancadas e eles ficam presos lá dentro até que o problema seja resolvido.

Podemos até não tomar as melhores decisões sob pressão, mas ninguém consegue se decidir a respeito de uma coisa se não parar para pensar e falar sobre o assunto.

Ela fica ali sentada, as rodas em sua cabeça girando loucamente.

— Conclave — murmura para si mesma.

— É uma excelente ideia quando há coisas que precisam ser decididas, entende?

Temos casamentos para planejar. Projetos que não podem ser interrompidos, porque o noivo dela está sempre fora da cidade. Winter quer dar início a uma organização humanitária, e sei que a família de Kai tem inúmeros contatos no Exterior que podem ajudá-la.

Isso sem mencionar Banks. Precisamos ajeitar as coisas perfeitamente para dar prosseguimento aos planos que tenho para ela, e já passou da hora de isso ter início. No entanto, precisarei de ajuda para convencê-la. Além de manter Kai fora do meu caminho.

E, claro, ainda há a questão de Will.

— Pithom — ela diz.

Meu olhar se encontra ao dela, e um sorriso se espalha pelos meus lábios. O iate da família de Michael. Nada mal. Nem seria necessário trancar as portas, porque não haveria escapatória, a não ser o vasto oceano.

Aceno em concordância na mesma hora.

Alguém entra na cozinha, e quando levanto a cabeça, deparo com Misha sendo seguido por Winter que se apoia ao braço de uma garota.

— Preciso conversar com você — ele diz a Rika.

Ela desliza da banqueta onde está sentada.

— Tudo bem — concorda, prontamente disposta a voltar à conversa que estavam tendo antes de eu interromper. — Sinto muito.

Seguro a mão de Winter e a guio até o lugar onde estou, olhando por um instante para a garota que a trouxe.

— Quem é ela? — pergunto.

No entanto, Misha segura o braço da menina e a arrasta para trás de si, longe da minha vista.

Dou uma risada zombeteira.

— Eu só queria cumprimentá-la — debocho. — Quero dizer, nós sempre nos esbarramos por aí. Já está na hora de ela me conhecer.

Se o pai dele está namorando a mãe de Rika, então é bem capaz que se casarão em algum momento, o que significa que todos teremos que nos tratar com cordialidade.

Winter acrescenta, rindo:

— A mordida dele é pior do que o latido, mas eu sou a única pessoa a quem ele morde — assegura aos dois jovens. — Não se preocupe. — Então ela fica na ponta dos pés e beija o meu rosto. — Comporte-se, por favor.

O olharzinho arrogante e mal-humorado de Misha está fixo em mim, porque ele não sabe se divertir, nem se isso estivesse debaixo do seu nariz. A garota é fofa, no entanto.

Ele finalmente se volta para Rika.

— Quando foi a última vez que soube notícias de Will?

Meu estômago embrulha à menção do nome dele. Will quase não entrou em contato por esses dias, mas ele está inflexível quanto ao que precisa fazer. Eu já o abandonei uma vez, afinal de contas. Se ele pôde me esperar, então eu posso fazer o mesmo por ele.

— Ele envia mensagens — Rika responde.

— Ele mesmo envia mensagens pra você?

— Bem, os pais dele — ela corrige. — Eles dizem que ele está em retiro. Fazendo algumas ações humanitárias na Ásia.

Misha agita a cabeça, descrente.

— Eles estão mentindo.

— Como você sabe? — instigo.

— Porque eu os conheço — retruca. — A mãe dele acena exageradamente com a cabeça quando está dizendo coisas que não são verdade.

Rika olha para mim.

— Reabilitação, talvez?

Era possível. Eles podem estar mantendo-o sóbrio e em sigilo.

Mas é Misha quem responde:

— Eles nos contariam, porque sabem que Will falaria sobre o assunto assim que saísse.

— Talvez eles não queiram que a gente o procure — Rika sugere.

— Bem, eu acho que é o que deveríamos fazer — Misha diz, categórico.

Estreito o olhar, sentindo meu sangue ferver, porque suas palavras, agora, me deixam temeroso.

— Por que você está preocupado? — pergunto.

— Porque meu avô vai concorrer à reeleição, e Will é um desastre ambulante.

Devagar, me dou conta do que ele está sugerindo. Meu pai me ameaçou com isso inúmeras vezes, mas nunca ouvi falar de alguém que tenha sido, realmente, enviado para lá. Ele estaria em perigo, muito mais do que aqui.

Mas... ele estaria fora do caminho. Ninguém ficaria sabendo dele ou o veria, o que significa que ele não seria mais um ponto fraco para a candidatura do avô.

— Ivar nasceu há um ano. — Olho para Rika, segurando a mão de Winter com força quando chego a uma conclusão: — Ele não teria me abandonado por tanto tempo assim. Não por vontade própria.

Ela balança a cabeça.

— Eles não teriam...

— Espero realmente que não — digo. — Mesmo que descubramos onde fica, nunca conseguiríamos entrar lá.

Misha se levantou, parando ao lado de Rika.

— Não se preocupe com isso — diz para mim. — Nós vamos cuidar do assunto.

O quê? Nós vamos cuidar...

Agarro o braço de Rika e a puxo para o meu lado, encarando-o com raiva.

— Você está certo. *Nós* vamos.

Merdinha do caralho. Sabe o que o casamento do seu pai com a mãe dela vai fazer de vocês? Absolutamente nada. Ninguém me deixaria de fora.

— Isto é um assunto de família. — Ele bate o pé.

— E eu sou o mais velho — retruco, avançando um pouco. — Entra na fila.

Ele até poderia se tornar o meio-irmão dela em algum momento, mas sou eu que compartilho o mesmo sangue.

— Meninos... — Rika estende as mãos e tenta nos empurrar para trás.

— Você já fodeu com a vida dele o bastante — Misha adverte, olho no olho —, e eu já não tenho doze anos.

— É, eu sei. — Sorrio e dou um tapinha em sua bochecha. Ele se afasta na mesma hora. — Você cresceu e se tornou uma coisinha bonitinha, né, Princesa? — Dou um toque no piercing em seu lábio. — Você usa mais joias que uma garota, mas vamos deixar uma coisa clara aqui: essas tatuagens ridículas que você tem só servem para esconder a sua pele de nenê por baixo.

Ele sorri com escárnio.

— Te deixei com tesão, foi?

A garota dele bufa uma risada às suas costas e eu faço uma careta.

Misha avança, ignorando os protestos de Rika.

— Você é uma péssima influência para ele.

— Não fui eu quem deixou alguém morrer de overdose bem debaixo do meu nariz — rosno, jogando a morte de sua irmã na cara.

Misha empurra meu peito, me obrigando a recuar, e quando dou por mim, estamos no chão, lutando para ver quem fica por cima enquanto trocamos socos.

Tudo bem, foi golpe baixo. Annie era um amor de pessoa. De verdade. Mas ele foi cara de pau ao sugerir que cuidaria de Will muito melhor do que eu, especialmente depois do que aconteceu com sua irmã mais nova. Misha é um pentelho.

E só pelo fato de ter sugerido que eram 'negócios de família' entre ele,

Rika e Will, e que não posso me envolver, sinto vontade de enfiar a minha bota em sua carinha bonitinha do caralho.

— Já chega! — Rika grita.

Sinto as pessoas ao meu redor, as garotas, provavelmente, lutando para nos afastar, mas foi ele quem pediu por isso. Perambulando pela cidade nesse estilo todo gótico, coitadinho de mim, só porque ele tem um bom pai, dinheiro e um lar seguro, mas sempre metendo o nariz em sua busca *hippie* pela verdade.

— Parem com isso!

Alguém me puxa pelos ombros quando quase consigo subjugá-lo, de forma que pudesse me sentar em cima desse filho da puta e talvez até mesmo escrever um poema sobre a surra épica que levaria.

Mas então somos atingidos por água gelada, e acabo me engasgando, e pauso pelo tempo suficiente para Rika conseguir me empurrar para longe dele. Desabo de lado, ambos respirando com dificuldade.

Merda. Meu cabelo cobre os meus olhos, e tento secar o rosto molhado.

— Misha — diz, irritada, encarando-o —, faremos um conclave em um mês. Você acabou de ser convidado.

Então ela se afasta e coloca a jarra de água em cima do balcão.

Misha se senta e me mostra o dedo médio.

— Babaca.

Eu me levanto e respondo:

— Bebezão.

O mar é um lugar excelente para sumir com corpos, sabe? Respire fundo, imbecil.

RIKA

Sopro a fumaça do cigarro, a maior parte saindo pela janela. Normalmente, fumo do lado de fora, mas ainda está chovendo, e estou exausta demais para me preocupar com isso.

Misha. Damon. Will.

Aluna. Prefeita. Tia.

Irmã.

Baixo o olhar, dando mais uma tragada no cigarro.

Michael.

Quero fazer tudo isso. E espero conseguir fazer tudo o mais que desejo também.

Um nó se aperta na minha garganta ao pensar no conclave de Damon. Há algumas coisas que preciso dizer antes de sair daquele iate, mas estou com medo.

— Estou um pouco arrependida por você ter crescido sem irmãos — minha mãe diz, aproximando-se por trás —, e agora que você tem um, vejo que já é uma péssima influência.

Ela enlaça minha cintura e sorri, arqueando uma sobrancelha para o cigarro entre meus dedos. Dou uma risada, apagando a ponta no pratinho que trouxe junto comigo. Damon e eu possuímos um estoque em diversos lugares, mas nenhum aqui. Acho que se Ivar passar mais tempo aqui, pode ser que Damon também passe. Então talvez seja bom dar um jeito de esconder mais alguns maços em algum lugar.

Olho para as fotos em preto e branco dispostas em porta-retratos prateados e que enfeitam a pequena mesa à minha frente.

Meu bisavô, por volta de 1900, sentado em um cavalo no rancho da família na África do Sul. Passo o dedo pelo seu rosto, aos dez anos de idade, pelo cabelo preto e olhos tão escuros quanto carvão.

— Ivarsen tem o mesmo cabelo — comento. — Menos os olhos.

Os olhos dele são azuis, como os de sua mãe.

— É verdade — mamãe replica. — São características que aparecem entre várias gerações. Nenhum dos seus filhos ou dos de Damon possuirão olhos e cabelos escuros ao mesmo tempo.

Meus filhos. Sinto uma pontada na boca do estômago na mesma hora.

Respiro fundo e me afasto do abraço da minha mãe, dando um beijo suave em sua bochecha.

— Vou levar a babá-eletrônica para o meu quarto — digo. — Quero pegá-lo no colo se ele acordar.

E então começo a andar rumo ao corredor.

— Quando você vai contar para ele? — ela pergunta.

Estaco em meus passos, ainda sem me virar e sentindo o coração acelerar.

— Contar o quê?

— Que o testamento do seu pai se aplica a você *e* a quaisquer outros filhos que eu tivesse — ela diz. — Quando você dirá ao Damon?

Sinto meus ombros relaxando. Ah, isso.

Fiquei pau da vida assim que ela me contou. Eu não confiava nele. Eu não permitiria que ele afundasse a empresa do meu pai em algum acesso temperamental. Eu precisava ter certeza de que poderia confiar nele.

Nesse meio-tempo, coloquei a metade que ele tinha direito em um fundo fiduciário para Ivar, mas...

Minha mãe tem razão. Ele vai poder fazer alguma coisa com isso, caso queira. No entanto, tenho a impressão de que não vai aceitar. E sinto um pouco de orgulho dele. Damon é o único dos quatro que pode realmente dizer que construiu seu futuro pelas próprias mãos. E ele está indo muito bem. Eu meio que invejo a liberdade que ele tem, pois ele está criando o seu próprio legado.

Mas, ainda assim... ele tem o direito de saber. E errei ao esconder essa informação dele.

— Vou resolver isso em breve — respondo e continuo andando.

O que é uma coisa a mais para ser resolvida no conclave, afinal? Nove amigos presos em um iate, com bebidas alcoólicas, arpões e um oceano negro à noite? Era uma ideia fantástica.

PARTE II

RIKA

Um mês depois…

Sigo em frente pelo longo corredor escuro, sentindo o motor zumbir abaixo dos meus pés enquanto passo pelas cabines do iate. É como se eu estivesse sozinha aqui, mas sei que não estou. Acho que essa embarcação sempre me deu calafrios.

Assim que chego ao final do corredor, retiro os meus AirPods e recosto o ouvido na última porta, tentando ouvir alguma coisa. No entanto, não escuto nada. Agarro a maçaneta e, lentamente, abro uma fresta para espiar lá dentro.

Vejo uma forma deitada por baixo das cobertas, e me esgueiro na cabine, deixando as luzes apagadas à medida que coloco o celular e os fones em cima da cômoda.

Então olho para ela.

A luz que se infiltra pelas persianas começa a se desvanecer, lançando sombras listradas sobre Alex. Vou até onde está deitada, engatinho na cama e pairo logo acima de seu corpo.

Olho para minha amiga e penso que ela é a única que consegue me fazer sorrir ultimamente. Observo sua fisionomia, notando a pele sem máculas e os cílios longos. O nariz empinado e as bochechas rosadas. Sua respiração suave e a imobilidade de seus olhos por trás das pálpebras. Ela é tão pacífica. E, honestamente, quando está dormindo, parece ter doze anos. Vulnerável, inocente e pura.

Somente quando ela abre os olhos é que você consegue ver a mulher.

Roço a ponta do meu nariz ao dela. Ela espreguiça e eu sorrio.

Um dos intendentes disse que ela foi a primeira a subir a bordo hoje, chegando no final da manhã, mas eu não a tinha visto. Eu decidi malhar na academia, no entanto, não dava mais para esperar que ela acordasse. Devagar, eu me abaixo e recosto minha cabeça em seu peito, enfiando meus braços por baixo de seu corpo para abraçá-la com força.

— Hummm... — Ela se move abaixo de mim e boceja. — Você não pode chegar em mim desse jeito, com esse perfume de setecentos dólares e esperar que eu mantenha nossa relação platônica, Rika. Isso é muito cruel.

Dou uma risada.

— Por que você está dormindo?

— Porque alguns de nós trabalham à noite. — Ela alonga os braços acima e boceja outra vez. — E teremos outra noite bem longa adiante.

Sim, teremos. Fecho os olhos, atenta aos batimentos de seu coração. Eu daria qualquer coisa para não ter que sair desse quarto, para poder esticar esses minutos e fazê-los durar para sempre, de forma que o conclave nunca tenha início. Ela é o meu lugar seguro.

— Precisa de um abraço? — pergunta.

Mas antes que eu possa responder, seus braços me enlaçam com força.

— Está nervosa? — sonda.

Também não respondo nada. Se eu não levar a coisa tão a sério, então poderei me convencer de que meu nervosismo é apenas uma reação exagerada. Absorvo seu calor, sentindo o corpo cálido por baixo da camisola macia.

Ela me faz um cafuné.

— Você é nova demais para isso, sabia?

Todos nós somos. E, sim, tenho vinte e dois anos e sou uma aluna já formada e prefeita da cidade; também assumi uma boa parte da minha herança, incluindo as empresas e os bens patrimoniais, mas todos nós estamos atolados até o pescoço. E parece que quanto mais nos aprofundamos, maiores são os riscos que nos cercam.

Culpa me alfineta.

— E você é boa demais para tudo isso também — afirmo. Boa demais para todos os rolos em que a envolvemos. — A gente te ama, sabia? — Ainda assim, não a encaro. — Você é o hálito que alimenta o lobo.

Roço os polegares na parte interna de seus braços, onde minhas mãos encontram-se presas por baixo de seus ombros, e me agarro a ela, porque ela é a melhor entre nós. Ainda inocente. Pura, não importa a feiura que aconteça em sua vida. No entanto, ela já não é tão vulnerável. Não houve uma única vez em que ela não esteve aqui por nós, e não tenho certeza se estaríamos aqui sem a ajuda dela.

Eu sei que não devo buscar refúgio em seus braços com tanta frequência, mas com tanta coisa acontecendo, ela parece ser a única pessoa que percebe que sou...

Fraca.

No fim das contas, ainda me sinto como uma criança brincando com tudo isso.

Sinto quando ela engole em seco e quando volta a falar, sua voz é baixa e calma:

— Alguma vez cheguei a te contar como fui morar no Delcour?

Não. E não me meti muito na vida dela, exceto quando descobri que ela havia sido expulsa de casa aos dezessete anos, e ela não quis nem falar sobre os pais.

— Eu vivia em dormitórios no meu primeiro ano na faculdade — diz, ainda passando a mão no meu cabelo em um ritmo contínuo. — Vivendo à base de empréstimos, bolsa de estudos e um trabalho de meio-período servindo cerveja em uma escola de mergulho em Whitehall.

Ouço cada palavra. Deve ter sido meses antes de nos conhecermos.

— Uma noite, minha colega de quarto e eu fomos a uma festa — prossegue —, enchemos a cara e voltamos para o dormitório totalmente chapadas e com tesão. Ela fez uma chamada pelo Skype, em seu laptop, com o namorado dela, que estudava em Yale. Como os dois sempre se falavam por videochamadas pelo celular, eu e ele nunca havíamos nos visto ou encontrado. Tudo o que eu sabia era que ele era uma espécie de gênio, aos vinte e dois anos, e um veterano. — Ela fica em silêncio por um tempo, e eu aguardo que continue. — Estávamos conversando e fazendo piadas, nós duas meio que paquerando ele e o fazendo rir... o que não era uma tarefa muito fácil, já que ele parecia um pouco triste. Não posso dizer direitinho o porquê achei isso, mas para mim foi nítido.

Continuo calada, deixando-a prosseguir em seu tempo.

— Sei lá como — revela —, nós acabamos entrando no assunto se poderia ser considerado traição ou não se transássemos com outra garota. Olhei para ele e para ela, e... comecei a desabotoar a blusa dela. — Ela dá uma risada baixinha, como se aquilo fosse uma bobagem. — E não sei quando a coisa evoluiu de uma brincadeirinha boba para uma sessão de amassos completa, ambas arrancando nossas roupas, mas olhei para o rosto dele através da tela do computador, e seu sorriso havia sumido. Era quase como se ele tivesse se esquecido de respirar, sabe? Do tanto que ele estava hipnotizado. Ele mal piscava enquanto nos observava. — Sua voz cai para um sussurro: — Enquanto *me* observava.

Fecho os olhos, ouvindo seu relato enquanto ela continua acariciando meu couro cabeludo.

— Nós transamos por ele, na minha cama, Rika — ela diz.

Imaginei a cena que ela descrevia.

— O sexo foi um pouco tedioso... ela estava nervosa e com vergonha — explica —, então tive que assumir o controle, mas eu não queria parar, porque não queria que ele afastasse o olhar de mim. Pensei que ele se masturbaria ou qualquer coisa, mas ele não fez. Ele apenas observava e absorvia o que estava acontecendo.

Minha mente voltou lá atrás, e, de repente, eu tinha dezesseis anos outra vez, e estava de pé nas catacumbas. Eu gostei de observar também. Ou ouvir, porque Michael havia me vendado naquele dia.

— Foi tão gostoso. — Ela esfrega as minhas costas, mas é nítido que está perdida em suas memórias. — Tudo se torna muito mais excitante quando não se pode tocar. Eu só queria que aquela noite durasse para sempre, porque foi tudo maravilhoso pra caralho.

O peito de Alex sobe e desce abaixo da minha cabeça, à medida que ela inspira profundamente e expira.

— Mas as coisas meio que complicaram entre mim e a Aurora depois daquilo — murmura. — Ela não disse nada, mas eu sabia que estava envergonhada. E acabei ficando com vergonha também, porque no momento foi algo muito natural, mas ela estava fazendo com que assumisse um ar de perversão. Como se ela tivesse sido forçada a aceitar e eu fosse esquisita por ter gostado. Fora que ela se tornou desconfiada, e não soube de nada, até que ela soltou sem querer, durante uma discussão, que o namorado dela queria nos ver juntas de novo. Que perguntou se estaríamos dispostas a transar por ele, mais uma vez.

Apesar do desprezo por sua amiga, sinto um frio na barriga por Alex. Eu a amo, e é compreensível que os outros queiram muito mais dela. Era normal Aurora sentir ciúmes, mas também era normal que Alex gostasse de se sentir desejada. E isso faz com que eu sinta desprezo pela atitude da garota.

— Então, em um dado momento, ela finalmente aceitou — Alex dispara. — E eu queria muito também. Queria mais.

Alex faz uma pausa antes de prosseguir:

— Só que, meia hora depois, ela saiu do quarto, eles romperam o relacionamento, e ele me implorou para não parar.

A voz dela está rouca, aflita. Ela parou? Eu teria parado se isso acontecesse com Michael? Alex e o cara não estão mais juntos, então, ou as coisas terminaram mal, ou sequer começaram.

— Uma semana depois — Alex praticamente sussurra —, eles voltaram a namorar e eu me tornei a puta do *campus*.

Fecho os olhos outra vez.

— Um mês depois, perdi minha bolsa de estudos, e nunca mais tinha visto ou ouvido falar dele. Aurora e eu fomos expulsas do dormitório, por causa da nossa briga, e meu chefe, na escola de mergulho, me apresentou ao primeiro de muitos de seus amigos que viriam a me ajudar a pagar pelo meu novo apartamento.

Caramba.

— As escolhas conduzem nossas vidas — ela prossegue. — Às vezes penso onde eu poderia estar se nunca tivesse desejado tanto a atenção dele. Se nunca tivesse começado a transar adoidado por aí, com qualquer um que me pagasse por isso, porque, se nunca mais o ouvisse me dizer o quão linda eu era, outra vez, então talvez não me importasse com o que fiz ou com quem.

Ela me abraça mais forte.

— Mas daí... eu nunca teria feito amizade com você — diz, baixinho. — Meu caminho contigo e com os meninos nunca teria se cruzado, e eu não teria uma família.

Ela estremece abaixo de mim, e sinto um aperto no peito. Dá para sentir, pela sua respiração profunda, que ela está chorando.

— Preciso do Will de volta, Rika — sussurra.

Levanto a cabeça, apoiando meu queixo em seu peito e vejo seus olhos marejados.

Ela franze os lábios para tentar conter as emoções, mas, pouco depois, explica:

— Eu amo você, a Banks, a Winter e os caras, mas... o Will me entende.

Eu a encaro, sentindo meu coração se partir um pouco. Alex consegue fingir muito bem, mas nunca me dei conta do tanto que ela sente a falta dele. Durante todo o tempo em que Damon esteve longe, era ela que estava ao lado de Will.

E sempre olhamos para isso dessa forma. Alex está sempre com Will. Alex está tomando conta do Will. Alex está fazendo companhia ao Will.

Mas nada disso era realmente verdade. Alex se agarrava a ele como um bote salva-vidas, da mesma forma que ele se agarrava a ela.

— Ele não te merecia — comento. — O namorado da sua colega de quarto.

Ela me encara por um instante, parecendo um pouco aflita, mas então suspira e dá um sorriso forçado.

— Sim, ninguém merece — ela zomba. — Não por menos de quinhentos dólares a hora.

Dou um olhar penetrante para a súbita mudança de atitude.

— Alex...

Mas ela vira nossos corpos, e quando dou por mim, sua cabeça está recostada contra o meu peito.

— É a sua vez de me fazer um cafuné — exige.

Fico ali parada, chateada por ela mudar de assunto e colocar a máscara de fachada novamente, mas ela me abraça, vestida com nada mais do que uma regata e calcinha, e balança um pouco o corpo, colocando uma perna nua por cima de mim. Dou uma risada baixinha. *Escondendo-se por trás de suas brincadeiras.* Will faz a mesma coisa.

Começo a acariciar sua cabeça, mas então a porta da cabine se abre, e quando ambas olhamos para cima, vemos Banks parada bem na entrada.

Ela está imóvel, as sobrancelhas quase tocando a raiz do cabelo ao nos flagrar em nosso abraço aconchegante.

Sua boca se abre em um perfeito O, e ela começa a recuar, prestes a fechar a porta.

— Entra aqui! — eu grito. — Não estamos fazendo nada.

Pelo amor de Deus.

Ela para, dá um meio-sorriso e volta, fechando a porta atrás de si.

— E desmancha logo essa cara de dor de barriga aí — Alex diz.

Banks vem até nós, usando roupas de malhar, exatamente como eu, mas seu cabelo está solto.

— Peste — ela murmura.

Deitando-se ao meu lado, ela se junta a mim para massagear a cabeça de Alex, com exceção que a massagem de Banks mais se parece a um carinho que se faz na cabeça de um cachorro, com os dedos curvados e coçando o couro cabeludo de leve.

— Para com isso — Alex resmunga. — Eu te odeio.

Banks e eu começamos a rir. Ela tem cerca de cinquenta e oito cães – tudo bem, foi um número exagerado, mas, ainda assim, são muitos –, logo, esse tipo de carinho é de se esperar dela.

Olho para Banks e pergunto:

— Mads está bem?

— Sim — responde. — Está na casa da sua mãe com as babás, e espero que Ivarsen já tenha chegado lá também.

Maravilha. Minha mãe está no paraíso dos bebês ultimamente. A mãe de Kai, Vittoria, e ela passeiam alegremente pelas ruas de Thunder Bay comprando toda sorte de coisas para os netos. Estou até surpresa por Ivarsen não ter ganhado um carro de presente ainda. *Sabe como é, para ele usar só quando for a hora.*

— Onde está Winter? — sondo.

— Provavelmente dando umazinha com o Damon no banco traseiro do carro. Logo ela chega aqui.

Começo a rir. Acho que Winter o deixa fazer tudo o que quiser por agora, porque é impossível ficar grávida se já estiver... grávida.

— E o Michael? — pergunta Alex.

— Está a caminho — respondo.

Alex levanta a cabeça e eu interrompo a massagem.

— Então... — Ela olha para Banks. — Você e Kai. — Em seguida, olha para mim. — Você e Michael. E Damon e Winter, e...

— Misha e Ryen — emendo. Eles estarão aqui, porque Misha é primo de Will, e nós discutiremos assuntos dos quais ele quer fazer parte.

— Misha e Ryen — ela repete, distraída. — E o que eu devo fazer quando todo mundo resolver fazer um "intervalo" esta noite?

Ela faz questão de enfatizar a palavra 'intervalo' gesticulando as aspas, como se ela não fosse ter uma pausa proveitosa também.

Ah, quem ela vai escolher para brincar?

— Tem uma tripulação inteira — asseguro.

Ela arregala os olhos na mesma hora.

— E David e Lev também subirão a bordo com Damon — Banks acrescenta.

Ela arfa e então sua expressão muda quando dá um gritinho entusiasmado.

— Isso é como comemorar o Natal *e* o meu aniversário ao mesmo tempo.

Eu bagunço seu cabelo e inverto nossa posição de novo, depositando beijinhos suaves na ponta de seu nariz e em seu rosto.

— Pensamos em você. Não se preocupe.

Ela ri e Banks e eu saímos da cama, seguindo em direção à porta.

— Oito em ponto — digo a ela o horário, pegando meu celular e os AirPods de cima da cômoda.

Ela continua deitada, mas faz um joinha com os polegares antes de soltar o celular do carregador ligado à tomada. Hesito por um instante, observando-a e percebo que, não importa o tanto de pessoas que existem em sua vida, ainda assim, ela sempre parece solitária.

Eu e Banks saímos da cabine e fechamos a porta antes de seguir pelo corredor. Ela para em frente à cabine dela e de Kai.

— Oito horas — diz e abre a porta.

Desbloqueio meu celular, já pronta para fazer uma ligação.

— Te vejo mais tarde.

Então seguro o telefone contra o ouvido enquanto subo as escadas rumo ao convés.

Ouço dois toques até que o Sr. Lyle atende:

— Senhorita Fane.

— Oi — cumprimento. — Anote essa informação, por favor.

Há um instante de silêncio, até que o ouço dizer:

— Tudo bem, pode falar.

— Alexandra Zoe Palmer, apartamento 1608, no Delcour. Encontre a colega de quarto que ela teve no primeiro ano da faculdade — instruo. — Também o namorado da garota na época. Possivelmente um aluno de Yale, no mesmo ano. Quero esses dados amanhã.

— Entendido.

— Obrigada.

Desligo e vou até a cabine de comando. Eu não deveria fuçar a vida de Alex, mas não decidi se faria alguma coisa a respeito. Pelo menos, se fizer, estarei preparada.

George Barris está ao leme, conferindo uma listagem com sua primeira-imediata, Samara Chen, que trabalha em seu posto. Vejo a máquina de fax vomitar um monte de papeis, e junto tudo, começando a ler.

Pithom tem um sistema meteorológico por satélite, mas o capitão da embarcação faz questão de dobrar os cuidados e se precaver. O que é ótimo.

Analiso os relatórios a respeito do tempo e aceno com a cabeça, satisfeita.

— Você já pode zarpar do porto — digo a ele, prestes a sair da cabine principal. — Ancore a cerca de dois quilômetros da costa, enquanto esperamos pelo Sr. Crist.

— Sim, Srta. Fane.

Deixo os documentos sobre a mesa e quando estou quase saindo da cabine de comando, paro e vejo, através da janela da proa, os intendentes carregando algumas malas a bordo. Mais alguém chegou. Uma fina camada de suor escorre pelas minhas costas e meu estômago embrulha, mas sei que não é Michael. Ele chegará de Seattle em algumas horas.

Sigo adiante e desço as escadas até o *deck* principal, indo em direção à área repleta de sofás. Paro e pego um pedaço de queijo e *prosciutto* da bandeja e enfio a fatia de carne na boca.

Vou até o solário no convés, a luz do dia esmaecendo às nossas costas, e vejo Damon parado na beirada da embarcação, encarando as águas escuras do oceano.

Seu cenho está franzido, e seguro minha comida em uma mão, mastigando mais um bocado enquanto me recosto contra uma coluna para observá-lo. A última vez em que fiquei parada no exato lugar onde ele está, Will se encontrava na água com um bloco de cimento amarrado ao tornozelo, enquanto Trevor tentava me matar. Will e eu quase perdemos nossas vidas naquela noite.

— Às vezes — Damon diz, rompendo o silêncio —, deixo minha mente divagar, e minhas lembranças sempre voltam para aquele momento.

Ele inspira profundamente, encarando o mar enquanto enfio um pedaço de queijo na boca.

— Só que Michael não consegue alcançá-lo, e você não volta à superfície.

Ele se vira e senta-se sobre a beirada, enfiando as mãos nos bolsos à medida que nossos olhares se conectam.

Vejo nossa mãe nele agora. E muito.

Eu não era capaz de ver antes. O jeito como seu olhar se arregala, nos fazendo levar um instante para perceber se é um olhar surpreso e feliz ou um enfurecido. A forma como ele diz o que quer e o fato de não gostar de mentir. A maneira como ambos odeiam ficar sozinhos.

Que coisa incrível é o tempo. Três anos atrás, pensei que ia morrer neste barco, e que ele seria a última pessoa que eu veria ou com quem conversaria. Nunca senti tanto medo na vida.

Agora, dificilmente passo um dia sem conversar com ele ou precisar de seus conselhos.

— Sabe de uma coisa... — Eu me aproximo dele.

Damon levanta a cabeça, atento.

No entanto, não continuo o que ia dizer. Ao invés disso, respiro fundo, dou um longo suspiro e... avanço em sua direção, socando seu peito.

Seus olhos se arregalam, ele tropeça, e em um segundo, perde o equilíbrio e cai pela lateral do iate.

— Puta que pariu! Que caralho! — grita enquanto despenca em queda livre.

Seu corpo atinge o mar dez metros abaixo, espirrando água para todo lado antes de desaparecer sob a superfície.

Olho para baixo e enfio outra fatia de frios na boca, mastigando lentamente. Ele caiu e aterrissou na água de ombro? Quem diabos faz isso?

Assim que ele ressurge, espirrando e cuspindo água, afasta o cabelo para trás e me encara com ódio no olhar. Tento a todo custo conter um sorriso.

Os pingos d'água escorrem de seus cílios e lábios, e nunca vi uma expressão mais revoltada na minha vida.

— Sua merdinha! — ele berra.

— Hum, tudo bem, isso foi um pouco agressivo. Eu admito — debocho. — Mas também foi justo. Eu quase morri naquela noite, Damon.

— Desça aqui e vou te mostrar como é morrer de verdade!

— Você *tá* louco? — Pego mais um pedacinho de queijo. — Essa água deve estar congelando.

Ele rosna e nada até a parte de trás do iate, e só então eu começo a rir enquanto pego uma toalha para lhe entregar. Ele parece tão vulnerável.

Vou até as escadas e o vejo escalar o iate e ficar de pé, sua camisa social branca e a calça preta coladas ao corpo.

Mas o cabelo está bem legal.

Contenho um sorriso e entrego a toalha.

— Vá se foder.

No entanto, ele a arranca da minha mão.

Que bebê chorão. Acho que algumas pessoas não sabem brincar.

— Sabe a culpa que eu sentia há alguns minutos? — ele explode. — Desapareceu totalmente.

— Ótimo. — Aceno com a cabeça. — Temos coisas mais importantes para lidar hoje à noite.

Ele fervilha de raiva, enxugando o cabelo e o rosto ao mesmo tempo em que se livra dos sapatos.

— Todo mundo já está a bordo? — Ouço alguém gritar. — Estamos preparados para zarpar.

Levanto a cabeça e vejo o capitão parado à porta da cabine de comando, então aceno em concordância.

— Estamos prontos.

Damon e eu subimos as escadas outra vez e atravessamos o convés à medida que os motores começam a ronronar um pouco mais alto.

— Michael está aqui? — pergunta.

— Está a caminho. — Largo o resto da comida que mal terminei e pego uma garrafa d'água. — Eu queria que todo mundo parasse de me perguntar isso.

Dou a volta no bar, prestes a seguir em direção à minha cabine, para tomar um banho, quando Damon agarra meu braço.

Paro na mesma hora e deparo com seu olhar penetrante e escuro.

— É para colocar tudo às claras hoje à noite — ele ordena. — Tudo.

Meu coração pula uma batida, e meus músculos, antes relaxados, agora tensionam com mais força.

No entanto, dou apenas um aceno de cabeça e digo:

— Eu sei.

Enquanto o iate navega pelas águas escuras do Atlântico, e as estrelas iluminam o céu, só consigo pensar nas palavras de Damon. *Tudo às claras.* Tomo um banho e me visto, e sinto meu estômago revirar, já que não consigo pensar em mais nada, além do que poderia acontecer na próxima hora. Ou nas próximas quatro horas além disso.

Ou amanhã.

Tudo dependerá desta noite.

Passo um pouco de batom e ouço o som distante das hélices do helicóptero, sentindo o frio me percorrer na mesma hora. Mal consigo respirar. Olho para o teto e presto atenção ao ruído que indica que Michael acabou de chegar.

Quando o ponteiro bate oito horas, todos os alarmes acionam dentro das cabines, assim como o leve *dong* do relógio, na sala de vinhos, ressoa pelos corredores do iate.

Michael não veio ao meu encontro quando chegou. Saio da cabine e pego meu celular, sem qualquer mensagem ou ligações que pensei que ele faria quando não estava em nosso quarto. É melhor assim. Este foi o motivo por eu ter escolhido me arrumar em outra cabine, ao invés da que compartilhamos. Não quero vê-lo até o momento em que nos encontrarmos no local da reunião. Tudo isso porque estou temendo perder a coragem.

Ryen, a namorada de Misha, sai de sua cabine e é seguida na mesma hora por ele. A garota olha por cima do ombro ao ver que estou indo em sua direção.

Dou um sorriso, incapaz de impedir que meu olhar deslize por todo o seu corpo. Ela está usando um vestido preto e justo, comprido até o meio das coxas; seus saltos pretos me fazem sentir baixinha perto dela. Misha se vira para mim, trajando um terno preto sob medida, com a exceção da gravata, e não importa o que Damon fale a respeito de suas tatuagens, elas realmente combinam direitinho com seu estilo.

Todos estamos vestidos de preto, e isso quase me faz rir. Fico feliz que todos entenderam que esta é uma noite para cores poderosas.

Ele ergue a mão e acena, dizendo em seguida:

— Vá na frente.

Passo pelos dois, sendo seguida imediatamente. A porta de Alex se abre quando cruzamos o corredor, e vejo-a se juntar a nós. Passamos pelo arco da área do solário no convés e adentramos mais ainda na embarcação.

As paredes envidraçadas brilham sob a luz das chamas das arandelas; viro-me em direção a uma porta aberta e entro na imensa sala à frente, avistando Kai, Banks, Winter e Damon por ali. As janelas do chão ao teto decoram a parede mais distante, e o mar se espalha ante nossas vistas. Michael encara a imensidão da noite escura, de costas para mim.

Lentamente dou uma circulada pela sala, enquanto Misha, Ryen e Alex passam por mim, mas meu olhar não se afasta dele. Sinto um frio gostoso na barriga, e depois de tantos anos desejando-o e o amando em silêncio, é como se eu ainda tivesse dezesseis e estivesse perto da minha paixonite de longa data. Amar tanto alguém, assim, chega a doer.

Os intendentes terminam de servir a comida e bebidas na mesa do *buffet*, e pegam algumas garrafas de vinho tinto da adega acoplada à parede, nos servindo na mesma hora. Assim que eles saem, as portas se fecham e todo mundo vai em busca de seus lugares à imensa mesa redonda.

Michael se vira e nossos olhares se conectam. Seus olhos cor de mel, fixos em mim, me congelam no lugar, tornando difícil respirar com calma. Tudo isso porque vejo em seu olhar. Sempre vejo...

O amor. A necessidade. A saudade.

Mas agora, está diferente. Também há uma hesitação ali. Como se ele estivesse incerto do que fazer comigo.

Seus olhos lindos deslizam pelo meu corpo, apreciando meu longo e fino vestido preto, com um decote acentuado à frente e às costas, tão profundo que quase alcança o topo da minha bunda. Um cinto de couro circunda minha cintura e as costas nuas, mantendo o vestido preso ao corpo. Dou um passo à frente e minha perna aparece pela fenda lateral que chega ao quadril, e sei o que ele vê. Ou não vê, por baixo do vestido.

Ele cerra a mandíbula, o olhar se encontra ao meu outra vez, e vejo a pequena chama incendiando seus olhos. Quero me satisfazer com isso... Em provocá-lo.

Mas eu simplesmente amo essa sensação. Amo quem somos juntos.

Escolho o lugar mais perto, e Kai, Banks e Alex sentam-se à minha direita; Misha, Ryen, Damon e Winter ficam à esquerda. Michael se senta no último lugar à mesa, bem à minha frente.

No entanto, ele rapidamente se levanta de novo.

— Antes de começarmos...

Observamos quando ele coloca uma brilhante caixa preta sobre a mesa, pegando diversas caixas menores ali dentro. Ele desliza uma delas para Damon, Kai e Misha, e pega uma para si mesmo, dando a volta na mesa para vir em minha direção.

— Quando Will voltar — ele diz a todos —, vamos pensar em alguma coisa para os homens, mas... cada família terá suas relíquias.

Ele para ao meu lado e nossos olhares se encontram. As caixas são abertas por todos, curiosos para descobrirem o que há ali dentro, porém meu corpo tensiona e queima sob seu escrutínio. Ele abre a caixa em suas mãos e a coloca sobre a mesa, pegando o item.

— Então, que estes sejam apenas os primeiros — acrescenta, segurando um colar preto adornado por um pingente no meio.

— O que é isto? — Ouço Winter perguntar a Damon quando ele retira o dela da caixa.

— É um colar — diz.

— É uma coleira — Banks resmunga, ríspida.

Michael e eu trocamos um sorriso perante sua alfinetada.

Mas é lindo. Majestoso. Uma corrente fina com elos pretos que se unem, pontilhados por pequenas pedras preciosas da mesma cor e com um broche bem no centro. Michael ajusta o colar no meu pescoço enquanto Damon e Kai fazem o mesmo com Winter e Banks.

— Tem um pingente branco — Damon explica a Winter. — Com um crânio. O crânio tem chifres e se encontra um pouco acima de um leito de relva onde uma cobra repousa.

— O crânio representa nossa verdadeira identidade. — Michael prende o fecho à minha nuca, e o colar vai somente até a clavícula. — O que vem à tona quando colocamos nossas máscaras.

— O chamado do vazio — Damon sussurra para Winter.

Michael continua:

— Os chifres representam um cervo, isto é, atenção, estar em contato com sua criança interior, inocente e vigilante. A cobra significa o renascimento e a transformação.

Toco o broche com a ponta dos dedos.

— E fertilidade — adiciono ao refletir.

Michael me encara por um instante e depois se vira, dando a volta na mesa. Ele pega outra caixa e a coloca perto de Alex, abrindo a tampa.

No entanto, ela o impede de prosseguir.

— Quero que Will coloque isto em mim.

Ele acena em concordância e fecha a caixa.

De pé, em seu lugar à mesa, ele olha para Misha e Ryen, que apenas encaram o cordão ainda dentro na embalagem.

— Isto pertence à família — ele diz a ela. — Se quiser abdicar dele, só pode entregá-lo para nós e ninguém mais. Entenderam?

Ryen encara Michael e depois olha para o namorado ao seu lado, acenando nervosamente.

— Agradeço o gesto — ela diz, voltando a encarar Misha. — Nós temos que pensar a respeito.

Misha não diz nada, e entendo perfeitamente sua relutância. Não conheço sua namorada direito, mas isso não é o estilo dele. Misha gosta de liberdade, sem ter que dar satisfações a ninguém, a não ser a ela, e nunca soube que ele tenha participado de algum grupo que não fosse sua banda. Muita gente interferindo em sua privacidade poderia deixá-lo paralisado. Ele não gosta disso.

E, sinceramente, eles não têm um passado com a gente. Todos nós estamos aqui porque não queríamos estar em nenhum outro lugar. Misha está aqui apenas por causa do Will.

Michael toma o seu lugar, desbloqueia a tela do celular e aciona o cronômetro, colocando o telefone no centro da mesa.

— Tudo bem, considerando nossa programação, vamos começar por...

— Quero matar o seu pai — digo, interrompendo o que ele estava falando.

Damon se engasga com a vodca. Todos os olhares se concentram em mim, e Michael, silenciosamente, me encara enquanto minhas palavras pairam no ar.

Sei que disse isso de maneira abrupta, mas preciso deixar claro minhas intenções esta noite. Ou perderia a calma.

— Não vou fazer isso — emendo. — Só queria deixar claro que é o que tenho vontade de fazer.

Michael continua ali sentado, brincando com a caneta Montblanc à sua frente, enquanto todos o encaram em silêncio, mas ele nem ao menos pisca, assim como eu.

— E eu quero me casar com você — ele diz. — É isso o que está te segurando? Meu pai?

Vacilo por um segundo. Uma coisa não tem nada a ver com a outra.

— Esse é um assunto particular.

— Você não fala sobre isso nem mesmo quando estamos só nós dois. Os únicos momentos em que as coisas estão bem, ultimamente, são quando estamos transando.

Damon empurra a cadeira com brutalidade para trás, dando um susto em Banks e Ryen, e se levanta na mesma hora, olhando para Michael com a cara fechada.

Mas Michael reage, sem nem ao menos se levantar à medida que encara Damon.

— Eu estava lá quando ela tinha cinco, oito e treze anos, então lembre-se de quando vocês dois começaram a se relacionar na próxima vez que quiser insinuar que você tem mais responsabilidade ou cuidado por ela do que eu — ele diz, com rispidez. — Ela é minha mulher. Sente-se.

Sou simultaneamente atingida com um arrepio pelas palavras de Michael e o deleite com a atitude protetora de Damon. No entanto, por mais que doa, Michael estava certo. As coisas até iam bem, mas só eram maravilhosas quando estávamos na cama, nos últimos tempos.

Damon hesita, mas, finalmente, volta a se sentar, fervendo de raiva.

Olho para Michael e ele retribui o olhar.

— Esta ideia fantástica aqui foi sua — comenta. — Então vá direto ao ponto. Você está chateada comigo por eu não ter vingado o fato de o meu pai ter matado o seu. — Recostando-se na cadeira, ele encara todos ao redor da mesa. — É isso o que todos vocês pensam? Que não a defendi?

Mas antes que alguém respondesse, afirmo:

— Não estou chateada com você. Eu te amo. — Estou um pouco magoada pela sua demora em querer resolver as coisas, mas entendo a posição em que está. — E vou morrer como sua esposa, e de ninguém mais.

Pronto. *Está feliz agora?*

Ele me encara, e espero que tenha assimilado que não tenho dúvidas sobre o amor e devoção que sinto.

Pigarreando, ele diz:

— A única testemunha viva que consegui localizar foi assassinada ano passado. — Ele dá uma olhada irritada para Damon, referindo-se à morte de Gabriel. — E mesmo que eu pudesse encontrar outra, não posso expor minha mãe a essa humilhação. — Ele baixa o olhar. — Sei o que a morte do seu pai fez com a sua mãe, Rika. O que você está pedindo é justo, e eu sei disso. — Ele olha novamente para mim, aflito. — Mas eu matei o filho dela... Não posso... Isso vai matá-la...

Ele se cala, mas nem precisava terminar a frase.

Eu sei. Mesmo se o pai dele 'desaparecesse misteriosamente', Michael não seria capaz de mentir para ela. Ela acabaria descobrindo, e ficaria magoada com ele. Ela poderia até passar a sentir medo do próprio filho.

— Eu posso fazer isso — Damon interrompe.

Michael acena com a cabeça, distraidamente.

— Eu sei que você faria, mas não vou permitir. Você tem motivos pelos quais viver agora. Não se arrisque desnecessariamente. — Ele suspira, recostando-se à cadeira. — Não podemos massacrar todos os nossos problemas.

Não, nós não podemos. Não somos criminosos, e tenho que, constantemente, me lembrar disso. Não infringimos as leis em benefício próprio. Fazemos isso por diversão.

Não precisamos matá-lo, mas as coisas também não podem continuar do mesmo jeito.

— Quero que ele suma. Que dê o fora de Thunder Bay — digo a Michael. — E fora de Meridian também.

— Ele não pode ser comprado — ele responde.

— Não precisaremos fazer isso — Banks interpela.

Todo mundo para, virando-se para encará-la. A pele de seus ombros desnudos brilha à luz de velas, e meu olhar se encontra ao dela quando me sento mais ereta na cadeira.

— Ele vai nos entregar tudo — ela diz.

Contenho meu sorriso. O que mais gosto em Banks é que ela se abstém orgulhosamente de apresentar qualquer problema, a não ser que seja uma solução. Então me concentro em ouvir com atenção.

Ela se vira para Michael e diz:

— Com certeza, seu pai não é culpado somente do assassinato de Schraeder Fane. Vamos encontrar algum podre e usar isso para persuadi-lo.

— Persuadi-lo a quê?

— A tentar a vida em outro lugar — ela responde com sarcasmo.

Michael balança a cabeça.

— Ainda assim, ele não vai sair pacificamente.

— Então nós vamos cuidar disso — Kai diz, perdendo a paciência. — Estamos fazendo apenas o necessário, Michael. Precisamos pensar nos nossos filhos. Rika está certa. Ele não pode ficar aqui.

Depois de alguns segundos, Michael, finalmente, olha para mim, e sei exatamente o que se passa em sua cabeça. Sim, o pai dele é perigoso. Sim, ele machuca as pessoas, e muito.

Mas isso não é algo que podemos dizer de nós mesmos? Já machucamos uns aos outros. Já matamos.

A diferença entre nós e Evans Crist, porém, é que ele age movido pela ganância e o desejo por poder. Nós sempre agimos a serviço da nossa família. Nossa verdadeira família. Evans mal e porcamente tem consideração por sua esposa e filho. Ele não se importa com o restante de nós. Não quero Mads e Ivar em qualquer lugar perto dele.

Michael acena com a cabeça, devagar.

— E não quero o sobrenome dele — acrescento.

Ele fica tenso, e o olhar lentamente se levanta para encontrar o meu.

Sei que ele, provavelmente, deve estar se sentindo o alvo constante nessa reunião, mas eu precisava desabafar sobre isso, e quanto mais cedo, melhor. Não vou mudar o meu sobrenome quando nos casarmos.

Ele respira profundamente, mas é nítido que está pau da vida.

— Quero que você tenha o mesmo sobrenome que os nossos filhos.

— Eu terei.

Meu coração acelera, porque não quero magoá-lo, mas não posso ceder nesse assunto. É algo no qual venho pensando há bastante tempo. Por que tenho que mudar meu nome? Quem fez esta regra, afinal? Meu pai era um bom homem que não deixou nenhum filho para levar seu nome para a posteridade. Ele merece isso.

Minhas últimas palavras pairam no ar enquanto ninguém ousa respirar à mesa; Michael me encara com o ódio incendiando seus olhos. Sei que estou pedindo demais. Ele já nasceu com o sobrenome que carregará para a vida toda. E não precisa mudar isso.

No entanto, também não mudarei o meu. Michael e eu nos encaramos, mas nenhum de nós diz nada, provavelmente porque não sabemos mais o que dizer. Ele quer gritar, mas não quer fazer isso aqui, e creio que também quer me estrangular.

— Tu-udo bem — Kai gagueja, e sei que está olhando de mim para Michael. — Nós podemos... voltar a esse assunto depois.

Todo mundo se agita ao redor da mesa, mas Michael não desvia o olhar, cabendo a mim, fazer isso primeiro. Vou deixá-lo vencer esse duelo.

— Will... — comenta Kai, seguindo para o próximo tópico a ser discutido. — O que sabemos sobre isso?

Misha se ajeita na cadeira.

— A última mensagem que recebi dele foi há meses...

— Esqueça as mensagens — Kai atesta, olhando ao redor. — Quando foi a última vez que alguém o viu?

— Treze meses atrás.

Nós nos viramos para Damon, seu sussurro pairando no ar à medida que ele gira o cigarro entre os dedos.

— E doze dias — Alex acrescenta. — Ele fez uma videochamada.

Treze meses. Pisco diversas vezes, sem acreditar. *Treze meses, porra.*

— E podemos deduzir que ele não está morto, porque os pais dele não estão preocupados — digo a todos.

Misha pega alguma coisa de seu bolso frontal e desdobra sobre a mesa. Damon apanha o papel na mesma hora.

— O que é isso? — pergunta, inspecionando a folha.

— Uma lista de homens de famílias ricas e proeminentes que sumiram do mapa e reapareceram nos últimos trinta anos — Misha explica.

Damon zomba e acena com o papel para Michael.

— Geralmente lidamos com arquivos digitais no século vinte e um.

Michael pega a lista e analisa os nomes escritos.

— E para que serve entrevistar um bando de homens de meia-idade? — Damon prossegue. — Primeiro, eles não vão querer papo. Ninguém fala sobre *Blackchurch*; segundo, a localização sempre muda. Mesmo que eles dissessem alguma coisa, não teriam como saber onde é o lugar agora.

— Talvez o lugar não tenha mudado — argumenta Misha. — Talvez isso seja apenas parte da história que nos contam. E, talvez, Warner... Stratford... Walmart Cunnigham III possam nos dar uma pista. Algo que seja útil. A menos que você tenha uma ideia melhor…

— O avô dele — Winter diz. — Deve ter sido ele quem o colocou lá, para início de conversa, certo?

Michael se vira para Alex, traçando o próximo passo.

— Você consegue essa informação?

Ela ri baixinho.

— Não sei por que vocês pensam que esses homens divulgariam segredos de estado para suas prostitutas.

— Porque já funcionou antes. — Damon sorri, provocando-a. — Você não se dá muito crédito.

No entanto, eu me aprumo na cadeira.

— Não.

Todos olham para mim.

— Não vamos usar a Alex desse jeito — explico.

Em algum momento, ela vai se formar na faculdade, arranjar um emprego, e o que vamos fazer quando não pudermos usá-la como isca? Não vou enviá-la para aquele velhote.

— Além do mais — prossigo. — Homens como ele não cuidam desses detalhes por si só.

— O assistente dele, então — Kay emenda. — Jack Munro. Ele deve saber de alguma coisa.

— E se ele não quiser falar? — Misha retruca.

— Tenho certeza de que a informação é mais acessível quando a intenção é colocar alguém lá dentro, ao invés de tirar — Alex murmura.

Todos à mesa ficam em silêncio, mas vejo um sorriso sutil curvar os lábios de Michael.

— O quê? — perguntou.

Ele rapidamente tenta esconder o sorriso e dá de ombros.

— Nada.

Mas continuo observando-o por um instante. Ele está pensando em alguma coisa.

Alex inspira profundamente.

— Vou me engraçar com o assistente do Senador Grayson assim que esse conclave acabar. — Deparo com seu olhar antes que possa dizer algo mais. — Eu vou fazer isso, Rika.

Engulo meu argumento, nem um pouco feliz por colocá-la nessa posição, mas estamos falando de Will, e sei que ela fará qualquer coisa a essa altura.

Winter coloca a mão sobre a mesa.

— Se encontrarmos *Blackchurch*, e ele estiver lá, como faremos para tirá-lo?

— Primeiro, nós precisamos saber com que espécie de fortaleza estamos lidando — Banks diz a ela. — Se as histórias forem verdadeiras, eles têm livre acesso à casa e ao terreno. Se formos capazes de chegar até eles, então eles também podem vir até nós.

O silêncio impera à mesa, enquanto Banks olha ao redor.

— De jeito nenhum *Blackchurch* é assim — ela prossegue. — Por que não simplesmente colocá-los em um Spa luxuoso com celas e guardas? Por que eles são deixados sozinhos como se fossem cães numa rinha para massacrarem uns aos outros?

As imagens descritas se atropelam na minha mente, e penso em Will, neste instante, preso em um lugar assim. Baixo a cabeça na mesma hora.

— Eles destruíram suas oportunidades e decidiram não fazer parte da família — Banks continua —, então, agora, eles terão que aprender o seu lugar na ordem natural.

A ordem natural. Vão ter que aprender na marra. Eles teriam suas necessidades supridas. Comida, teto, cuidados médicos, se fosse necessário... mas, tirando isso, eles estavam completamente sozinhos e à mercê uns dos outros.

— Eles têm que se virar à base do instinto primitivo, para sobreviver — Banks diz a todos nós. — O resto do mundo não existe mais. Agora eles fazem parte de um sistema com as próprias regras e leis... — ela faz uma pausa por um instante. — E consequências.

Ela deve ter ficado sabendo dessas coisas a respeito de *Blackchurch*, porque Gabriel pensou em enviar Damon para lá, ou então ela estava fazendo uma associação ao jeito que os cães do pai eram tratados quando eram mantidos em jaulas. De qualquer forma, sei que tudo o que ela diz é verdade.

— Eles estão escondendo comida — ela diz —, e cada um deles precisa lutar pela sua parte. Estão forjando alianças para proteger uns aos outros, e devem estar fazendo armas com o que encontram largado ao redor.

Meu peito se aperta.

— Deve haver um alfa — ela prossegue —, e, com certeza, não é o Will.

Nenhum de nós fala nada, mas é nítido que o pensamento de todos é exatamente igual ao meu. Imaginando o que Will devia estar enfrentando neste exato momento. Aqueles homens não são seus amigos. Will não é forte quando está sozinho.

Ele não é o Michael ou o Kai.

— Vou passar mal — Winter arfa, com os olhos marejados, e se levanta de supetão.

Damon faz o mesmo, segura sua mão e ambos saem da sala, fechando a porta em seguida.

— Como deixamos isso ir tão longe? — Kai expira.

— Nós fizemos merda — Misha diz, o olhar mais preocupado do que antes.

No entanto, Ryen tenta acalmá-lo:

— Will está bem.

Alex olha para ela, com uma lágrima escorrendo pelo rosto.

— Como você sabe disso?

— Porque ele tem uma vantagem sobre todos os outros prisioneiros lá — ela diz a todos nós. — Ele já esteve na prisão. Ele já viveu isso antes.

Mordo meu lábio inferior e fecho os olhos, tentando me acalmar. Ela está certa. Engulo em seco e sinto o maldito nó no estômago começando a afrouxar. Se Will estiver lá, ele está vivo.

— Jack Munro — Michael diz, olhando para Alex. — Faça contato e nos avise assim que tiver alguma informação. — E então enfatiza: — O mais rápido possível.

Ela dá um aceno afirmativo com a cabeça.

A sala parece, de repente, tão tensa, que empurro minha cadeira para trás, assim como os outros, precisando de ar fresco.

A comida servida sobre a mesa está intocada, e todo mundo se dirige à porta para alongar as pernas. Estou prestes a sair também quando alguém agarra minha mão, me impedindo.

Encaro Michael, ambos em silêncio à medida que a sala esvazia.

— Diga o meu nome — ele sussurra.

A veia no meu pescoço começa a latejar.

— Michael — murmuro.

— Não é assim que você diz meu nome. — Ele se aproxima, a mão apoiada em meu rosto. — Como sempre disse.

Quero desviar o olhar, porque sinto as lágrimas se acumulando na garganta. Quero dizer tudo a ele. Quero me livrar dessa angústia e medo, mas... Nosso futuro parece perfeito. E estou prestes a mudar isso.

E não posso.

Estamos apaixonados. Aqui e agora, neste instante. As coisas podem mudar em questão de segundos, e não consigo...

— No que você está pensando? — Ele me lança um olhar perscrutador. — Onde você está nesse exato momento?

Sinto meu queixo tremer.

— Tem alguma coisa que você não está me dizendo.

Abro a boca para falar algo. Ou para beijá-lo ou qualquer outra coisa, mas eu...

Tenho a noite toda. Só não posso fazer isso agora.

Afasto-me dele e saio em disparada da sala.

— Rika! — ele grita, irritado.

No entanto, não paro. Limpo a lágrima do meu rosto assim que ela escorre e me dirijo ao solário do convés, passando pelo *lounge* onde todos estão reunidos nos sofás e com suas bebidas em mãos.

Paro na beirada do iate, contemplando o oceano escuro à frente, o raio branco do luar se espalhando pelo horizonte. O vento sopra contra o tecido do meu vestido, mas o ar frio não é capaz de aplacar meu nervosismo.

Preciso apenas fazer amor com ele mais uma vez, antes que eu estrague tudo.

— A que distância iremos da costa? — alguém pergunta às minhas costas.

Pisco rapidamente para afastar as lágrimas, olhando para Ryen por cima do meu ombro.

— O barco já está navegando há algumas horas — ela salienta, dando uma risada de leve. — Devemos estar bem longe a esta altura. Ninguém vai escapar a nado agora.

Eu me viro mais uma vez e encaro o mar.

— Eu disse a eles que não parassem até que eu mandasse — informo. — Ou que aparecesse terra à vista.

— A próxima ilha é a Irlanda — Misha comenta.

Dou uma risada forçada.

— Então é melhor resolvermos as coisas mais rápido.

Na verdade, Misha e Ryen podem até mesmo se ausentar pelo resto da noite. O assunto que exigia a presença deles já está encerrado, e eles não têm obrigação em ouvir o que mais será discutido. Sobre o *The Cove*. A herança de Damon. Os planos dele para Banks, em Washington D.C. – que ele acha que não sei a respeito, mas que, pensando bem, faz todo o sentido.

O avô de Will está há bastante tempo no poder, a maior parte de sua carreira, e apesar da motivação de Damon não ser totalmente altruísta, Banks é perfeita para o cargo. Assim que ela se formar na faculdade, ele vai convencê-la a concorrer ao cargo de deputada estadual, até que ela complete trinta anos e já tenha idade suficiente para disputar uma vaga no Senado. Todos perfeitamente posicionados para tornar o mundo do jeito que queremos e com conexões o bastante para continuar ganhando dinheiro. É algo duvidoso pra caralho, mas ela não fará um trabalho ruim naquele gabinete. De forma alguma.

Se ela aceitar, tudo bem. Infelizmente, prevejo uma discussão intensa antes disso.

Eu me viro e vejo Damon entrando no *lounge*, e minha mão se agarra firmemente à grade às minhas costas.

— Como está Winter?

— Ela está bem — ele assegura, levando uma caixa até a mesa. — Apenas se refrescando.

Ele desaba na cadeira, de frente para Misha e Ryen, e concentra sua atenção neles.

— Bebezão — ele zomba e joga a caixa na frente de Ryen.

— O que é isto? — ela pergunta ao abrir.

Ela pega uma máscara preta, de metal, toda decorada, que cobre apenas os olhos, e com duas fitas pretas usadas para amarrar ao redor da cabeça. O *design* permite que ela consiga ver pelas frestas com exóticas aberturas para os olhos. É mais parecida ao tipo de máscara usada em bailes do que às nossas, porém é belíssima.

— Isto é para a garota que vem à vida quando você e Misha estão sozinhos — Damon explica. — É para os momentos privados, no escuro, quando ele quiser fazer algo divertido com você.

Misha tira a máscara da mão dela e a enfia de novo na caixa.

— Não.

Damon começa a rir, divertido, mas não chocado. Ou intimidado.

— Deixe-a apenas experimentar. — Ele empurra a caixa na direção de Ryen e a encara. — Mais tarde. Quando vocês estiverem a sós. Veja se gosta do que vai surgir. — Seu olhar foca novamente em Misha. — Veja se ela vai dar ouvidos a isso. Talvez você seja capaz de ouvir também.

Eles não perguntam o que ele quer dizer com aquilo, mas eu sei. *L'appel du vide*[1]. A filosofia de Winter que explica o que somos e o que nos une. Talvez Misha e Ryen sejam mais parecidos a nós do que pensávamos. Talvez todo mundo seja. Dada essa oportunidade.

Mas Misha apenas suspira e empurra a cadeira para trás, ficando de pé.

— Preciso me embriagar para aguentar você. — Ele vai até o bar.

Damon o segue, servindo um drinque para si mesmo, mas sem continuar a provocar o garoto. Dou uma olhada para a porta, notando que Michael não nos seguiu. Ele, provavelmente, está se preparando para torcer o meu pescoço.

Atravesso toda a sala e vou em direção a uma pequena cabine na parte da frente, fechando a porta em seguida. No entanto, ela não se fecha por inteiro, e quando ergo a cabeça, vejo Kai ali parado.

Meus olhos começam a lacrimejar, e eu nem havia percebido que estava me contendo até que me vejo a sós com ele. Ele se aproxima, em silêncio, no espaço apertado e entre a pia, e segura meu rosto entre as mãos.

Ele me encara, vendo meus olhos marejados.

— Eu sei — sussurro. — Eu sei.

— Você está torturando a ambos — ele alega. — Conte logo para ele.

Sinto um tremor em meu peito e tento desviar o olhar, mas ele não me permite, mantendo-me na posição.

— Tem que ser em particular — comento. — Ele vai ficar bravo se eu contar isso na frente de todo mundo.

— Ele não vai ficar bravo.

Ele será colocado em uma posição horrível. Uma onde ficará entre a cruz e a espada, e em que terei que pedir que ele escolha entre duas opções que o obrigarão a desistir de algo que deseja.

---

1 *L'appel du vide*: termo de origem francesa que, em português seria algo como "O chamado do vazio", que remete a um instante fugaz, milésimos de segundo, onde há a súbita vontade de acabar com a própria vida. Geralmente acontece quando se encara uma imensidão à frente ou do alto de uma montanha.

Eu preciso fazer uma escolha por ele. E sempre soube disso.

Baixo a cabeça, recostando-me, lentamente, ao peito de Kai.

— Eu morreria se o visse com outra mulher — sussurro. — E se ele se casar com outra pessoa, e eu tiver que viver em Thunder Bay, vendo-os a todo o momento?

Começo a chorar, sentindo seus braços ao meu redor, e desabo, o pavor e a ansiedade me causando náuseas.

Kai sussurra contra o meu ouvido:

— Ssshhh...

A porta se abre de supetão, e ambos erguemos a cabeça na mesma hora. Michael está ali parado, e a expressão em seu rosto me dá um frio na barriga. Ele range os dentes, agarra Kai pelo paletó e o puxa para fora do lavabo.

Ofego ao vê-lo arrastar o amigo de volta ao *lounge*, vendo-o cair contra uma mesa. O vaso decorativo que estava em cima cai e se espatifa no chão. Ryen grita, saindo às pressas do lugar onde está sentada, para não ficar no caminho.

Michael avança na direção de Kai, o agarra novamente, com as mãos em punhos nas lapelas de seu terno.

— Ei, ei, para com isso! — Kai grunhe.

— Michael, para! — eu grito.

Ele sacode Kai, gritando em seu rosto:

— Que porra vocês estavam fazendo?

— Estávamos apenas conversando! — Kai retruca, também aos gritos.

Damon fica de pé, paralisado, observando, mas, ainda assim, preparado para intervir, enquanto Misha, Ryen e Banks encaram, estarrecidos, a cena diante de seus olhos.

Michael se inclina na direção dele, com o nariz quase colado ao de Kai.

— Você não pode tocá-la.

— Não foi do jeito que você está pensando — ele argumenta.

— Então de que jeito foi?

A pergunta parte de Banks, e quando desvio o meu olhar para ela, sinto a punhalada no peito diante de sua suspeita.

Michael empurra o amigo para longe, respirando com dificuldade, e Kai olha para Banks, ajeitando seu terno e parecendo irritado.

— Apenas esperem um pouco, okay? — ele diz a todos. Ele não faz ideia do que dizer para explicar-se à esposa e me proteger ao mesmo tempo. E fui eu quem o colocou nesta situação.

Dou um passo à frente.

— Michael...

— Vá se foder, Rika — ele resmunga, interrompendo o que eu ia dizer.

Sua postura está ereta, e quando sua atenção se concentra em mim, fico tensa.

— Foda-se o poder que você detém agora, a sua agenda de compromissos e seu assistente — ele diz —, a porra da sua comitiva para onde você vai, seus planos e seus jogos de xadrez. Eu dei poder demais a você.

Não consigo me mover. Lentamente, os tijolos que compõem cada momento que construímos juntos começam a balançar, e não sei se estou mais chocada por conta de seu súbito desprezo, ou pelo fato de ele ter realmente pensado que eu e Kai...

— E sabe de uma coisa — ele prossegue —, eu queria isto. Queria que você tomasse posse. Não queria outra versão da minha mãe. Calada, dócil, vivendo uma vida separada. Eu queria minha outra metade. — Ele olha para mim, e não vejo mais amor ali. Apenas mágoa. — E eu entendi isso — diz ele, com tristeza. — Quando olho no espelho, tudo o que vejo é você. Já não consigo mais identificar as diferenças. — Ele hesita e gesticula em direção a Kai e Damon. — Eu sou só seu, mas você...? Você conversa com eles, ao invés de se abrir comigo.

— Bom, você passa bastante tempo longe — Damon salienta.

Michael mantém o olhar fixo em mim por um instante, antes de se lançar para frente e dar um soco no rosto de Damon.

— Michael! — grito.

Damon resmunga, caindo no sofá, mas se levanta rapidamente, olhando para ele com ódio enquanto avança em sua direção.

No entanto, Kai o segura, para impedi-lo de revidar.

Michael esquece o ataque a Damon e olha para mim.

— Vou me aposentar depois da próxima temporada — informa. — Daí, você vai conversar comigo?

Aposentar? Balanço a cabeça, em descrença.

— Você só tem vinte e cinco. Ainda tem anos de carreira, caso não se lesione.

— Já está na hora de me concentrar em outras coisas. No *The Cove*, na nossa família...

— Não podemos dar prosseguimento ao projeto do *Cove*, até que Will volte para casa — Damon impõe.

— Will não vai impedir que isso aconteça — Michael replica, apoiando as mãos na mesa e inclinando-se à frente. — É hora de nivelar o terreno e dar início a tudo.

— Opa, opa! O *The Cove*? — Misha dá um passo adiante. — Vocês não vão derrubá-lo!

Michael dá um soco na mesa, fazendo todo mundo se calar. Todos permanecemos em silêncio, vendo-o cabisbaixo e encarando a mesa.

Dou mais um passo à frente. Isso é minha culpa, não deles.

Até que, finalmente, ele olha para mim e diz, em uma voz suave:

— Eu me sinto inferior a você. — Suspira. — Como se...

— Como se você não tivesse mais nada a me ensinar — finalizo por ele.

Ele não responde, mas sei que estou certa. Ele está intimidado por eu ter mais coisas a dar atenção além dele.

— Não sou seu bichinho de estimação — digo.

Fui uma vez, mas não mais.

— Por quê? — pergunta.

Por quê? Ele está perguntando por que não sou seu bichinho de estimação? Sério?

Ele apruma a postura e dá a volta na mesa, aproximando-se de mim.

— Porque... — respondo. — Porque preciso ser algo mais. Preciso ser... útil.

— Por quê?

Sinto vontade de rir, mas não por achar graça, e, sim, por raiva. Não sou um troféu. Não sou um brinquedinho.

— Porque preciso que você veja do que sou capaz — afirmo. Preciso provar meu valor a ele.

— Por quê? — Ele se aproxima um pouco mais.

Abro a boca, mas não encontro palavras. Sei muito bem o que ele está fazendo, e as lágrimas enchem meus olhos. Eu só preciso colocar para fora.

— Porque não quero que você se decepcione comigo — sussurro. — Porque é isso o que vai acontecer.

Ele para na minha frente, a poucos centímetros de distância.

— Por quê?

— Porque eu não... e-eu... — gaguejo, engolindo o nó na garganta. — Porque não posso ter filhos. — Fecho os olhos, chorando baixinho quando as palavras saem da minha boca: — Não posso dar a família que tanto quer.

Ele fica ali parado, sem chegar mais perto, e por mais que meu coração esteja despedaçado pela vida que não podemos ter, um peso imenso sai dos meus ombros. Eu não queria fazer isso na frente de todo mundo, porque Michael agirá como um cavalheiro e me dirá que está tudo bem. Que poderemos adotar. Que poderemos contratar uma barriga de aluguel. Que ficaremos bem.

Mas depois de algum tempo, ele começará a ver que não é assim tão simples. E ficará chateado pela vida que não pode ter, e vou me sentir como se o estivesse impedindo de ter algo melhor.

— Meus ciclos sempre foram longos, mas — continuo —, não estou ovulando de forma regular. O médico diz que é improvável.

— Mas não é impossível — Banks esclarece, se aproximando. — Você já procurou uma segunda opinião médica?

— Sim.

Damon dá um passo à frente.

— Bem, quando você parar de usar pílulas...

— Já parei há dois anos — digo a ele. — E há mais de um ano não tenho um período.

— Um ano — Michael diz, mais para si mesmo. — O mesmo tempo com que você tem lidado com todas as responsabilidades, certo?

Mas aquilo soa como uma acusação antes de ele desviar o olhar para Kai.

— Por que você não parece surpreso? — Michael pergunta.

No entanto, seu amigo desvia o olhar. Ele é o único que ficou sabendo, e entendo o que Michael está sentindo. Mas não confidenciei esse problema a Kai. Foi ele quem descobriu.

Ele teve um papo motivacional comigo. *Michael te ama. Vocês têm outras opções. As pessoas dão um jeito todos os dias. Um monte de crianças precisa de bons lares.* Mas as pessoas também se separam por causa disso. Todos os dias. Todo mundo quer ter seus próprios filhos. Eles querem ter filhos com o homem ou a mulher que amam. Nunca imaginei que algo assim aconteceria comigo, e estou com medo. É fácil dizer que sou digna. Ele me ama por eu ser quem sou, e se meu corpo é incapaz de procriar, não deve ser só isso o que ele precisa de mim. Eu valho a pena, mesmo que não possa lhe dar filhos, não é? Isso não é minha culpa. Não sou falha.

Mas acreditar nestas palavras e senti-las é muito mais difícil. E se ele tentar, mas depois decidir que isso é complicado demais para aguentar? E se eu não aceitar que nunca poderei fazer isso por ele?

Não consigo encará-lo quando sussurro as palavras:

— Não podemos ter filhos juntos, Michael.

Estou sendo bastante clara. Ele precisa saber que a probabilidade é pequena.

Espero por algum sinal de que ele não está bravo, que me diga que isto não é o fim do mundo e que ele ainda me ama mais do que tudo, mas...

Ele se vira e vai embora.

E me deixa ali, parada, com lágrimas escorrendo pelo rosto. Uma sensação de vazio toma conta do meu corpo inteiro. Ele me odeia. Meu Deus, ele me odeia. Não consigo respirar.

— Você sabia? — Ouço Banks perguntar.

— Eu descobri — Kai diz a ela. — Por acidente.

Fungo, sentindo as mãos trêmulas. Ah, meu Deus. Ele se afastou e foi embora.

Fecho os olhos na mesma hora.

— Vamos matá-lo — Damon rosna, e é provável que esteja falando com Kai. — Agora mesmo.

Banks, Ryen e Alex se aproximam, tentando me consolar, mas eu as afasto com delicadeza.

— Está tudo bem. Estou bem. — Seco meus olhos e dou um passo à frente. — Me deem licença, por favor.

E então saio correndo da sala, cobrindo a boca com a mão para que eles não possam ouvir os soluços.

Vá se foder, Rika.

Algo comprime a minha garganta, e acordo subitamente, incerta se foi algum barulho ou o silêncio que me assustou.

Os motores do iate estão desligados. Ergo a cabeça e olho ao redor do quarto escuro, vendo que ainda está vazio e com a cama intocada.

Ainda estou curvada na poltrona da cabine que divido com Michael, onde me acomodei depois que criei coragem para entrar.

Porém, ele não estava aqui quando cheguei.

Colocando os pés no chão, limpo meus olhos e me levanto, olhando novamente ao redor. Ainda está escuro do lado de fora. Dou uma olhada no relógio em cima da cômoda e vejo que já passa da meia-noite.

Já se passaram três horas desde a discussão. Onde ele está? Por que paramos?

É claro que não tenho a menor intenção de ir até a Irlanda, de qualquer jeito, então fico satisfeita.

Deixando os saltos ao lado da cadeira, ergo a barra do vestido para não tropeçar e vou descalça até a porta. Eu a abro e espio do lado de fora.

— Michael? — chamo seu nome.

E então, aguço os ouvidos.

Nada. Nenhum ruído vindo das outras cabines. Nenhuma música. Nenhum movimento ou conversas.

Saio do quarto, e vou andando pelo corredor, passando os dedos por baixo dos olhos para limpar o delineador que provavelmente escorreu. Depois da discussão, fui até a proa para me acalmar e tentar colocar a cabeça no lugar. Repassei todas as conversas mentais que tive ao longo dos últimos meses, para quando este momento chegasse, e, percebi que estraguei as coisas, mas esperei tudo vindo da parte dele, menos o que recebi: o silêncio.

Ele simplesmente se afastou como se eu não fosse nada. Parece que eu estava certa em me preocupar, afinal de contas.

Mesmo que ele estivesse de boa com isso, não sei se algum dia eu estaria. Ele seguiria com a vida, vendo os amigos tendo seus próprios bebês, sabendo que conosco não seria assim. E eu odiava tudo isso. Eu odiaria fazer isso com ele.

Balanço a cabeça, respirando profundamente para me acalmar. Eu não quero perdê-lo.

Depois de um instante de reflexão, decidi conversar com ele em particular, mas quando entrei na cabine, não o encontrei. Desabei sobre a poltrona para esperá-lo, mas apaguei.

Ouço o barulho de água espirrando e quando olho para o lado do iate, vejo as pessoas pulando da popa até o mar.

Ryen e Banks nadam de volta para o barco, enquanto Kai e Misha pulam por cima de suas cabeças. Todos estão rindo, aliviando a tensão enquanto podem. O conclave ainda continua, mesmo que não estejamos mais naquela sala. Agora é apenas Michael e eu.

Vou até a escada da ponte de comando.

— Olá?

— Oi?

— Sr. Barris? — digo, entrando na sala.

Ainda estamos seguindo para o leste, mas o iate está ancorado por enquanto.

— Senhorita Fane. — Ele se levanta da cadeira. — Está tudo bem?

Esfrego os braços, agora bem consciente de não estar usando roupa íntima por baixo.

— Você viu o Sr. Crist?

— Não por agora.

Assinto, distraída. Bem, ele não deve ter ido muito longe, pelo menos.

Viro-me para sair, mas paro, notando que ele esteve na cabine de comando o dia todo.

— Onde está a Srta. Chen? — pergunto. Ele deveria ir dormir agora.

Ele me encara por um instante e então responde:

— Eu a dispensei por esta noite, há algum tempo.

Mas, então, ele desvia o olhar, e algo me inquieta. Como se ele não quisesse ter me informado aquilo.

Olho para ele por um instante, observando-o se ocupar com alguma coisa boba, e, finalmente, decido ir embora. O que há de errado em ele tê-la dispensado? Por que ele pareceu tão desconfortável ao me dizer aquilo?

Sigo em direção ao convés principal e atravesso o corredor lentamente, batendo suavemente às portas das cabines que estão desocupadas. Ele pode estar dormindo em algum lugar para me evitar. Procuro pela cozinha, sala de jantar, pelo *lounge*, e pela sala de bebidas. Também não há ninguém na sauna; mas quanto mais longe vou, mais sinto a pulsação do meu coração latejar nos ouvidos, porque se ainda não o encontrei, então significa que ele está em algum lugar onde não quer ser encontrado.

Um pensamento fugaz passa pela minha cabeça e sinto a náusea subir pela garganta. Será que Michael pediu que a Srta. Chen fosse dispensada da cabine de comando mais cedo? Por isso Barris estava tão incomodado e agindo de forma estranha?

O iate balança sob meus pés, e paro por um momento, para me equilibrar.

Não é o barco. Sou eu que estou com tonturas.

Michael...

Engulo em seco. Não, ele não faria isso.

Desço o último lance de escadas, as máquinas e os motores zumbindo em silêncio enquanto as luzes suaves iluminam os pisos vermelhos. Ando pelas sombras, dando a volta nos imensos cilindros, temendo olhar por entre os vãos e espaços ínfimos, mas este lugar – nas entranhas do iate – é o único que sobrou para procurar por ele.

Talvez ele esteja com Damon e Winter. Talvez ele tenha voltado à costa com a lancha?

Um flash dispara à frente, e olho para cima, avistando um movimento por trás dos tanques.

Devagar, sigo nesta direção.

Outro flash dispara, e ouço um farfalhar enquanto espio por entre dois enormes tanques brancos, vendo mais uma sequência de luzes. É uma câmera de fotografia.

Uma mulher com um longo cabelo escuro está sentada em cima da mesa, com as pernas abertas e os pés apoiados no chão, o corpo nu exposto para seja lá quem for a pessoa que está tirando suas fotos. Seu rosto está coberto pelo cabelo, mas sei exatamente quem é. O cabelo é longo demais para ser de Banks, e muito escuro para ser de Alex.

Samara Chen.

Vejo nossa primeira-oficial se inclinar para trás, apoiada em suas mãos, um dos pés agora sobre a mesa e a outra perna pendurada, enquanto alguém a fotografa sucessivamente. Fecho os olhos por um instante. Quero ver quem é, mas tenho quase certeza de que já sei a resposta.

Abro os olhos, vendo Samara enfiar os dedos por entre as pernas, o cabelo se espalhando por trás dos ombros, de forma que agora sou capaz de distinguir seus olhos; ela está praticamente fodendo a câmera com o olhar enquanto se acaricia em círculos lentos. As linhas definidas de seu torso, a pele macia dos quadris e costas, e seus belos seios abundantes...

Uma imagem de Michael transando com ela sobre aquela mesa passa pela minha mente, e um nó aperta meu estômago, me fazendo cerrar as mãos em punhos.

No entanto, quando dou um passo para o lado, com o coração martelando no peito, olho ao redor do tanque e vejo que não é Michael quem a está fotografando.

Alex trocou de roupa e agora usa uma calça folgada e casual e uma camiseta com gola em V. Ela está segurando a câmera, com a cabeça inclinada de leve enquanto observa a Srta. Chen apoiar os pés sobre a mesa e abrir as pernas para a apreciação de Alex.

Solto o fôlego que nem havia percebido que segurava.

Porém, pelo canto de olho, avisto um movimento. Lev aparece, saindo do lugar de onde devia estar parado e longe da minha vista. Ele vai até a mesa, empurrando Samara com força.

Ela geme, e perco o fôlego por um instante. Alex o encara, e segundos depois, ele se abaixa e começa a comer a boceta da garota.

Ele lambe e chupa, mordisca e esfrega, o corpo dela arqueando na mesa enquanto ele a devora sem perdão. Ela geme, e ele envolve sua coxa com a mão, segurando-a no lugar à medida que Alex continua fotografando a sessão.

Eu deveria ir embora. Recuo um passo, mas esbarro contra algo duro, e paro, sentindo um arrepio percorrer meu corpo. Um braço comprido e com dedos longos me enlaça, e avisto a mesma veia pulsante que sempre admirei, em sua mão, enquanto ele segura a garrafa de cerveja, oferecendo-a a mim.

Meu coração começa a palpitar, e tenho dezesseis anos outra vez, de volta em St. Killian. Pego a cerveja, observando a cena à frente enquanto ele se mantém às minhas costas. Tomo um gole, sentindo as bolhas amargas explodindo na minha língua.

Lev continua lambendo a garota, devagar, esfregando a língua ao redor do clitóris e amassando seus seios. Ela ofega, gemendo, os quadris rebolando contra a sua boca, faminta por muito mais. Outro flash dispara enquanto os observamos, silenciosos e ocultos por trás dos tanques.

— Eu te amo — digo, ainda agarrada à garrafa.

Fico feliz por ele não responder, porque preciso dizer tudo isso agora que estamos a sós.

— Eu não valho nada, se quiser impedi-lo de ter a coisa que a maioria das pessoas realmente deseja. — Faço uma pausa, encarando a cena adiante, mas sem prestar atenção. — Eu não podia te perder, Michael.

Tomo mais um gole, lembrando-me do gosto que senti tantos anos atrás.

— Eu não podia te perder, mas também não podia me casar com você — admito. — Não debaixo de uma mentira. — Respiro profundamente apesar das lágrimas que dão um nó na minha garganta. — Eu só queria ser capaz de te amar pelo maior tempo possível, porque não quero que você renuncie à oportunidade de ter filhos, e não sei se posso suportar o fato de não poder te dar isso. Eu me sinto uma merda. O tempo todo. Sinto náuseas só em pensar em te ver formando uma família com outra pessoa, mas também não quero te fazer infeliz.

Meu Deus, estou sofrendo.

Ele permanece calado, e nem sei se consegui me explicar ou se me fiz mais confusa ainda.

Ele tira a garrafa da minha mão e ouço o líquido escorrer quando ele toma mais um gole. Fico aguardando, porque dependo agora de ouvir o som de sua voz.

— Eu sabia que você estava no meu carro aquele dia — diz, em voz baixa.

Pisco, sem entender. O quê?

— Eu vi a porta traseira se abrir pelo espelho retrovisor — explica. — E então a vi se fechar.

Em seu carro...?

E então me dou conta. Ele está falando da Noite do Diabo, anos atrás, quando me esgueirei para dentro de sua SUV, para segui-lo, junto com os amigos. A mesma noite onde ele me deixou tomar um gole de sua cerveja pela primeira vez.

— Você não tinha idade suficiente para fazer tudo — continua —, mas era velha o bastante para algumas coisas, e eu não podia mais esperar. Esse sentimento sempre esteve ali. Desde quando éramos crianças.

Os gemidos e ofegos da Srta. Chen se infiltram pela sala de máquinas enquanto ela segura a cabeça de Lev, para manter a boca dele em sua boceta, o ritmo acelerando tanto quanto sua respiração.

— Às vezes, eu pensava que queria te tocar — Michael sussurra, bem acima da minha cabeça. — Em outras, eu pensava que queria te matar. Eu não sabia se era amor ou ódio, mas sabia que mudaria a minha vida.

— Mais devagar, Lev — Alex orienta, tirando mais uma foto.

No entanto, ele argumenta:

— Qual é... ela é gostosa pra caralho.

— Assim, ó... — Alex se inclina e começa a beijar a mulher, e Lev faz o mesmo que ela, ambos agora a devorando.

— Ai, minha nossa... — Chen arfa, arqueando as costas mais ainda contra a mesa.

Fecho os olhos, lembrando-me destes mesmos sons de tanto tempo atrás.

— E você me encontrou em St. Killian, desse mesmo jeito — digo a Michael. — Você me levou lá para baixo, vendou meus olhos e começamos a ouvir os sons ao redor, exatamente como estes.

Chen geme, ofegando cada vez mais, e é nítido que está prestes a gozar.

— Eu amava o seu mundo — sussurro.

— Você queria tanto ver, naquele dia, nas catacumbas. — O calor de seu corpo aquece a minha pele. — Cheguei até mesmo a pensar que você queria estar no lugar dela. Para experimentar as mesmas sensações.

— Eu queria qualquer coisa com você — retruco, abrindo os olhos. — Queria que tudo acontecesse.

O corpo de Samara se agita, para frente e para trás, arqueando à medida que Lev se enterra em sua boceta, quase a fazendo gozar. Os gemidos dela enchem a sala, se tornando cada vez mais altos e desesperados.

— Quisera eu poder voltar àquela noite — digo a Michael. — Eu teria tentado não entrar em seu carro. Teria tentado não desperdiçar todo o seu tempo comigo.

Meus olhos ardem com as lágrimas prestes a saltar. Sou um fardo para ele, e sinto como se estivesse piorando sua vida.

Mas, de repente, seus braços envolvem o meu corpo, e seu sussurro sopra contra a minha nuca:

— E se eu pudesse voltar lá atrás, não teria perdido um só momento.

Ele me levanta do chão, me fazendo perder o fôlego enquanto me carrega, recuando alguns passos. Ele se senta em uma cadeira qualquer, e me coloca em seu colo. Ainda vejo fragmentos da cena por entre as frestas dos tanques; Lev se levanta e Samara ofega e geme em protesto por ele ter parado. Ele segura suas pernas, puxando-a para a beira da mesa e abre o zíper da calça.

Michael me puxa contra o seu corpo, um braço me rodeando e uma mão segurando minha bochecha enquanto ele sussurra no meu ouvido:

— Eu teria saído daquele armazém, naquela noite, mas com você ao meu lado.

Meu coração dói, mas também se agita. Amo a maneira como nos amamos agora, mas se ele tivesse me levado com ele naquela noite – se eu não tivesse decidido ir a pé para casa –, muita coisa poderia ter sido evitada e não teríamos nos separado por tanto tempo.

— Eu teria mantido a minha palavra — ele continua. — Apenas te beijando e te segurando contra mim, e isso teria sido o suficiente naquela época, porque só a sensação de ter você já era o bastante para me deixar louco. — Seu hálito está quente contra a minha pele, e percebo o desejo em sua voz. — Eu teria te colocado sentada em cima da bancada da cozinha na casa dos meus pais, no escuro, teria ficado entre as suas pernas e te comido toda, porque a qualquer momento poderíamos ser pegos no flagra, e eu queria nos meter em encrenca. Eu queria que eles tentassem me afastar de você, como sempre fizeram, só que dessa vez, eu não teria dado ouvidos.

Lev se enfia dentro de Samara, e vejo David vindo por trás dela, segurando seus braços e forçando-os acima de sua cabeça enquanto ela ofega. A mulher geme, mas ele cobre sua boca com a dele antes de agarrar seus seios e apertá-los entre as mãos.

Ela tenta se afastar de seu agarre.

— Estou com medo.

— Eu sei — David responde. E então abocanha um de seus seios, sem parar.

Mas assim que Lev começa a foder a garota com força, e ela se contorce sob a atenção dos dois homens, algo cobre o meu rosto, e mal consigo respirar quando Michael amarra um tecido sobre os meus olhos. O mundo escurece, e meu coração troveja; quero sorrir e chorar ao mesmo tempo, porque estou excitada demais para saber o que fazer. Levanto a mão e sinto a gravata de Michael me vendando.

— Argh, porra — Lev rosna.

A mesa range com suas investidas, e os gemidos e beijos preenchem o ambiente abafado da sala de máquinas.

Alex continua tirando fotos o tempo todo.

— Será que o David pode tomar a vez dele? — Ouço Alex perguntar.

Não escuto nenhuma resposta, ouvindo apenas os disparos da câmera.

— Eu teria te beijado e tocado o seu rosto — Michael continua, deslizando os dedos pela minha mandíbula. — E teria começado a suar, porque estaria de pau duro e desejando uma coisa doce que nunca havia tido.

O tecido do meu vestido roça meus seios, e eu me aconchego a ele, respirando com dificuldade. Toque-me. Você pode fazer isso. Não tenho mais dezesseis anos.

— Eu não teria parado — prossegue —, mas teria te levado para a cama, porque na próxima vez que eu voltasse para casa, da faculdade, você já estaria com dezessete. — A ponta de sua língua toca o lóbulo da minha orelha antes de ele morder a pele e deslizar a mão por baixo do meu vestido, espalmando meu seio.

Arfo na mesma hora.

— E eu teria me livrado de todas as suas roupas — provoca. — Teria me esgueirado contigo para dentro do meu quarto, tirado sua calcinha e tocado seu corpo, permitindo que você também me tocasse; e eu teria te beijado em toda parte, Rika. — Ele puxa o tecido da saia e enfia a mão pela fenda lateral, desnudando minhas pernas e boceta, me provocando com os dedos. — Por todo lugar.

— Michael... — gemo, imaginado o que poderia ter acontecido naquela época. Os meninos nunca teriam sido presos, e eu teria me tornado ansiosa, vivendo pelos momentos em que ele voltaria para casa, porque nada poderia ser mais delicioso do que saber que ele me queria.

— Por favor, pare de me provocar ao parar... — Samara choraminga. — Eu preciso gozar.

A mesa para de ranger, e ouço alguns passos enquanto Michael desliza os dedos para dentro e para fora da minha boceta, só na beiradinha, sem nunca enfiar por completo.

— Minha vez. — Ouço David dizer ao longe.

— Isso teria nos deixado loucos — Michael sussurra —, e teria nos aproximado de tal forma que seria um sofrimento.

Fazendo tudo o que pudéssemos debaixo dos narizes dos nossos pais, mas morrendo de vontade de fazer a única coisa que não podíamos.

— E quando você fizesse dezoito anos — ele diz, os sussurros se arrastando pelo meu corpo e fazendo meu clitóris latejar —, eu teria esperado um tempo durante o jantar, a porra do bolo e abertura dos presentes, e você não teria sido capaz de apreciá-los, porque você sentiria o meu olhar focado o tempo todo, sabendo exatamente o que aconteceria logo depois. Eles não conseguiriam te encontrar. Eles surtariam, porque eu te levaria para bem longe, para uma praia, uma barraca, e eu não teria parado... pela noite inteira.

Mordo meu lábio inferior, esfregando a ponta do meu nariz contra a sua bochecha áspera à medida que rebolo contra ele. Seu pau duro pulsa abaixo da minha bunda, e agarro sua mão, levando-a mais fundo, sentindo a umidade escorrer pela minha coxa. Uma alça do vestido desce, o ar frio tocando meu seio desnudo.

— Rika... — ele geme baixinho.

— Michael...

A câmera dispara novamente, mas dessa vez, detecto o flash através da minha venda. A pele dos meus mamilos enruga quando eles se tornam picos duros. Alex está aqui perto.

Michael esfrega o polegar contra um dos mamilos, e estremeço ante seu toque.

— E você não teria aparecido mais, até que eu te deixasse na escola na manhã seguinte — ele continua. — Na frente de todo mundo, de forma que todos soubessem quem a possuía agora, porra.

E então ele me aperta com força, me fazendo ofegar. Mais um disparo de uma foto.

Dou um pulo, assustada, mas ao invés de me cobrir, eu...

Eu gosto disso. Arrepios se espalham pela minha pele, e eu quero mais.

Alex continua fotografando, e não sei o que ela vê ou em quê está focada, mas agora ela está observando Michael me tocar enquanto Samara e David transam do outro lado dos tanques. Onde está Lev? Não posso vê-lo, então não faço ideia de seu paradeiro.

— Não teríamos conseguido esperar até o jantar, Michael — sussurro, inspirando o cheiro de sua pele. — Você teria notado que tudo o que mais queria era você. Não daria para esperar mais.

Michael segura minha mão e guia dois dos meus dedos por entre minhas pernas, enfiando-os dentro de mim. Minha boceta lateja, e eu gemo, precisando de muito mais. Ele puxa a minha mão de volta e chupa meus dedos, lambendo minha essência.

A câmera dispara novamente, e a língua cálida de Michael desliza, devagar, pela minha pele. Samara geme seu orgasmo ao longe.

Mas então, de repente, sinto um hálito quente soprar no meu rosto, e ouço o som de uma respiração profunda. Meu coração para por um segundo. Quem é?

— Faça isso de novo — Lev, repentinamente, sussurra, e percebo que ele engole em seco. — Por favor.

Ofego, sentindo meu coração martelar.

Ah, meu Deus.

Michel segura o meu rosto, beija minha bochecha, mandíbula e pescoço.

— Você confia em mim? — ele pergunta.

Eu...

Aceno em concordância.

— Então por que você sequer pensaria que a mera ideia de ter filhos com outra mulher não me deixaria nauseado? — sussurra, e é nítida a mágoa em sua voz. — Nós teremos filhos. Se você os quiser. Mas uma coisa que nunca deixarei de ter é você. — Ele me sacode. — Você entende isso?

Um soluço se aloja em minha garganta.

— Você entende? — ele rosna outra vez. — Um mundo onde não estamos juntos não existe para mim.

Nós nos beijamos, e mal percebo quando Michael pega minha mão e a enfia por entre as minhas pernas novamente. *Ah, nossa.* Começo a gemer, mas tento me acalmar, o sofrimento me devastando, sem nem entender a razão. Por que duvidei dele? Posso viver sem um monte de coisas, mas não posso viver sem ele. Por que não confiei que ele sentia o mesmo?

Pressionando meus dois dedos bem no fundo, ele puxa minha mão, mas sem chupar os dedos dessa vez.

— Você confia em mim? — pergunta mais uma vez.

— Sim.

Ele ergue a minha mão, e nem me dou conta do que está acontecendo até que Lev a segura. Ofego quando o flash dispara novamente. Devagar, o calor úmido de sua boca cobre meu dedo, e entreabro os lábios quando um gemido escapa; sua língua faz com que cada pelo do meu corpo arrepie. Michael espalma e acaricia meus seios, possessivamente, e respira com dificuldade contra a minha orelha enquanto Lev lambe cada um dos dedos, mordiscando com delicadeza.

— Eu amo vê-la desfrutar das sensações — Michael diz. — Amo observar a expressão do seu rosto.

Lev chupa mais um dedo, uma lambida lenta e constante, e sei que ele está olhando para mim. Michael me abraça com mais força, enterrando seus suspiros contra o meu pescoço à medida que esfrega seu pau contra a minha bunda.

— Não consigo obedecer às regras — continua —, e com você, não tenho que fazer isso. Não estou sozinho. E não posso voltar a ficar sozinho. — Ele paira sobre os meus lábios, nossas bocas abertas e sedentas. — Não posso respirar sem a minha monstrinha, porra.

Monstrinha.

Exalo uma risada misturada ao choro.

— Eu te amo, Michael. — Eu o beijo. — Eu te amo muito.

Ele mergulha contra a minha boca, e agarro os apoios de braço da cadeira para me equilibrar, mas percebo que na verdade estou agarrando os punhos de Lev ao invés disso, já que ele está apoiado ali. Mesmo percebendo sua presença, não o solto.

— Você confia em mim? — Michael expira.

— Para sempre.

— Fique de pé, Lev — Michael ordena.

E quando me dou conta do que está acontecendo, Michael me empurra um pouco para frente, sentada em seu colo, e Lev me segura para que eu não caia. Michael rasga a parte de trás do meu vestido, e eu me seguro ao cós da calça jeans de Lev, percebendo que o cinto está desafivelado, mas ainda ali. Michael arranca meu vestido, e mais flashes disparam da câmera de Alex, e tudo o que permanece no meu corpo é o cinto ao redor da minha cintura.

Os dedos de Lev acariciam gentilmente o meu rosto, e sinto-me tonta por causa da venda sobre meus olhos.

— Meu Deus, ela é gostosa demais — ele sussurra. — Posso tocá-la?

— Não — Michael responde e ouço quando seu cinto é desabotoado, seguido de seu zíper.

Ele agarra meus quadris, me puxa para trás, e eu gemo, afundando meu rosto contra a barriga chapada de Lev. Michael abre minhas pernas e se enfia dentro de mim.

Um gemido alto escapa dos meus lábios, e abraço a cintura de Lev para me equilibrar. No entanto, sinto a protuberância por trás de seu jeans e levanto a cabeça para me afastar.

Ele ri baixinho antes de dizer:

— Desculpa.

O pau de Michael me estica por dentro, e me agarro ao cinto de Lev, rebolando os quadris lentamente contra a virilha de Michael. Ele me abraça com força, me puxando contra o seu pau, à medida que avanço para frente, empurrando-me contra Lev. Nosso ritmo acelera em segundos.

Alex tira mais algumas fotos, e arqueio minhas costas, sentindo meu cabelo roçar minha pele.

Samara arfa e geme de algum lugar por trás dos tanques, e eu me junto aos gemidos; uma fina camada de suor escorre pelas minhas costas, resfriando a pele enquanto Michael se impulsiona contra o meu corpo cada vez mais rápido.

— Segure-se em mim — Lev diz, e sinto quando ele se abaixa e se ajoelha, colocando minhas mãos sobre seus ombros. Eu não posso vê-lo, mas ele está perto, seu hálito soprando contra os meus seios.

— Michael — ele diz, em total agonia. — Por favor, me deixe prová-la outra vez.

Outro flash dispara quando a boca de Lev paira sobre o meu mamilo. Respiro profundamente, balançando para trás e para frente, entre os dois homens, meu orgasmo espiralando cada vez mais. Eu empurro o da frente e me lanço contra Michael, e faço o mesmo movimento para frente, segurando-me a Lev.

— Argh, porra, Rika — Michael geme, os dedos cravados em meus quadris. Ele bombeia para cima, contra mim, e já não consigo mais me conter.

— Sim — gemo em voz alta. Mais flashes.

Quico para cima e para baixo, contra sua virilha, me afundando com força diante do orgasmo que se avoluma em meu corpo, gemendo e ofegando de prazer. Eu me movo mais rápido até que... o clímax explode, avassalador, e sinto Michael agarrar um punhado do meu cabelo à nuca, puxando minha cabeça para trás enquanto ele geme e grunhe. A boca cálida de Lev paira a centímetros do meu mamilo.

Ahhh, porra, porra, porra, porra...

Eu me contorço um pouco, grunhindo diante da onda de prazer. Uma gota de suor desliza pelas minhas costas e o agarre de Michael no meu cabelo afrouxa quando ele goza dentro de mim. É no momento que paro para recuperar o fôlego que percebo que os flashes cessaram.

Meu Deus...

Caramba, isso foi muito gostoso. Abaixo a venda em meus olhos e me recosto contra Michael, devorando sua boca. Alex se apoia contra um dos tanques, a câmera pendurada entre seus dedos enquanto ela nos observa, já sem dar atenção às fotografias.

Michael ainda está dentro de mim, e olho entre Alex e Lev, ambos sem conseguir afastar o olhar de nós dois.

— Ei, Lev. — Ouço David chamar. — Ela quer mais. Venha aqui!

Lev sorri, os olhos me espiando por baixo da mecha do cabelo que recobre sua testa, e se levanta, inclinando-se contra mim.

— Estou a seu serviço a hora que quiser, Srta. Fane — ele sussurra.

Ele lança um olhar para Michael, e então se vira e volta para sua festinha particular.

Alex abre o compartimento do cartão de memória da máquina e vem até nós, entregando-o.

— Sempre que puderem, apreciem as fotos — ela diz assim que pego o cartão.

Ela se vira para sair, mas para pouco depois e diz, por cima do ombro:

— E foi bom que você não tenha permitido que Lev tenha sentido o seu gosto outra vez.

Franzo as sobrancelhas, sem entender.

— Ele teria tirado o seu gosto do Michael com a língua — ela explica.

Meus olhos arregalam e, por um segundo, penso que Michael para de respirar. Ela dá uma risadinha e sai, desaparecendo por trás dos tanques.

Leva apenas um instante até que recupero meu fôlego e, de repente, começo a rir.

Ai, meu Deus. O que Michael teria feito? A imagem circula pela minha mente, e, na verdade, não é algo odioso. Poderia ser incrível vê-lo experimentar algo novo, só para variar. Inverter a situação...

No entanto, Michael cobre a minha boca e sussurra contra o meu ouvido:

— Nem pense numa merda dessas — adverte.

Dou um sorriso e me levanto de seu colo. Ele se levanta na mesma hora e me entrega sua camisa, já que meu vestido foi rasgado em pedaços e agora é só um trapo no chão. Ouço a câmera clicar novamente enquanto rola o terceiro round, ou quarto – perdi as contas –, e Michael recolhe meu vestido e segura minha mão, guiando-me para fora da sala de máquinas.

Não consigo acreditar que fizemos isso.

No entanto, consigo, sim. Nós não precisamos nos esconder ao redor dessas pessoas.

Subimos os degraus e voltamos ao convés principal, sua mão quente segurando a minha com força, como se ele estivesse com medo de me perder.

— O casamento será em um mês — ele diz, finalmente, arrastando-me.

Seguro a camisa social que estou usando mais apertada contra o meu corpo. Um mês? Começo a protestar na mesma hora:

— Michael, acho que não p...

— Um mês. — Ele se vira para me encarar. — Na Noite do Diabo. Temos até lá para encontrar Will e trazê-lo de volta.

Ele segura minha mão enquanto atravessamos o corredor em direção à nossa cabine, e quando passamos pelo quarto de Damon e Winter, ouvimos gemidos e murmúrios.

Um mês? Estou empolgada por termos estabelecido uma data, mas...

Vamos pagar dobrado para conseguir tudo a tempo.

Mas, ainda assim...

Um mês. Sorrio, agarrada ao seu braço do jeito que sempre faço quando me sinto uma adolescente outra vez, totalmente apaixonada por ele.

Ele abre a porta de nosso aposento, joga seu terno e gravata em qualquer canto e ambos seguimos rumo ao banheiro. Assim que entro debaixo do chuveiro, ele vem atrás de mim e me abraça, beijando minha testa enquanto o vapor nos cerca.

E não o deixo se afastar de mim quando ele lava meu corpo e cabelo, mal piscando ao sentir como é bom ser amada por ele, e como somos sortudos.

Depois de sairmos do banho, nós nos secamos e solto o cabelo, para em seguida pegar a escova de dentes já com a pasta, que ele mesmo colocou.

— Sinto muito por ter dito aquelas coisas mais cedo, no *lounge* — ele diz, com sua escova enfiada na boca. — Eu estava pau da vida. E intimidado. Você não estava conversando comigo direito, e meu orgulho estava ferido.

Começo a escovar os dentes enquanto ele cospe na pia, e meu olhar se encontra ao dele no espelho.

— Eu estava mentindo pra você. Então também peço desculpas.

Omissão é uma forma de mentira, e estava nos trazendo mágoa.

Enxaguo a boca e a seco com a toalhinha de rosto. Quando entro no quarto, ele está vestido com uma calça folgada e sentado próximo à janela, e a fumaça de seu cigarro flutua acima de sua cabeça. É tão engraçado. Damon desiste de fumar, enquanto todo mundo decide começar.

Visto uma calcinha branca e uma camiseta regata da mesma cor, e vou até ele para me sentar em seu colo. Apoio as pernas sobre o braço da cadeira e ele me aninha em seus braços. Deito a cabeça em seu ombro, contemplando o oceano escuro que se estende à nossa frente.

— Não importa o dinheiro ou as inúmeras reuniões no gabinete, como prefeita, Michael — digo, baixinho —, sempre terei doze anos... Buscando pelo irmão mais velho de Trevor a cada sala que eu entro.

Ele não tem que se sentir intimidado. Nunca. As coisas não valem nada sem ele ao meu lado. Afundo mais ainda minha cabeça em seu ombro, sentindo o abraço ao meu redor intensificar.

— E não vou usar um vestido branco no casamento — digo, suavemente. Só para deixar claro.

Ele dá uma risada e eu sorrio, olhando para cima e vendo-o dar mais uma tragada no cigarro.

— É, eu também não — zomba.

Passo a mão pelo seu peito forte, traçando com a ponta dos dedos as reentrâncias e os músculos definidos, e então envolvo seu pescoço com meus braços, beijando a lateral de sua garganta. Nada mudou, de verdade, em todo este tempo. Seu cheiro é como os meus fósforos. É como se fosse Natal e 4 de Julho, tudo junto.

— Eu te amo. — Faço uma pausa e então acrescento, porque não consigo me conter: — Sr. Fane.

— Ah, puta que pariu — ele resmunga e enrijece a postura. — Preciso de uma bebida.

Hein? Eu o seguro com mais força, quase caindo do seu colo quando ele tenta se levantar da cadeira.

— Sai de cima de mim, agora — ordena. — Preciso de uma bebida, Rika. Muitas doses, por sinal.

Quando minha bunda aterrissa no carpete, é a minha vez de resmungar:

— Ei!

Ele enfia o cigarro entre os lábios, balança a cabeça e dispara em direção à porta.

Rika Crist não combina nem um pouco. Ele vai perder essa batalha dessa vez.

— Nós só temos comida para algumas semanas nesse barco! — grito assim que ele abre a porta da cabine. — Então, não demore muito para chegar a um acordo com isso!

— Boa noite! — ele berra. — Amo você!

Ele sai e bate a porta com força. Tudo isso de alguém que diz não conseguir viver sem mim.

Eu encaro o espaço vazio e começo a rir.

Um mês. Estou pronta. Estou pronta para tudo o que vier.

Então sorrio, sentindo a empolgação tomar conta de mim quando pego minha caderneta de notas sobre a mesa para começar a planejar meu casamento.

FIM

Nightfall será lançado em 2022.

Por favor, continue lendo, se você quiser voltar um pouquinho no tempo para ler a cena do nascimento de Ivarsen.

*Esta cena acontece cerca de dez meses após o final de *Kill Switch*. E por volta de um ano antes de *Conclave*.

— Você é louco! — Bryce gritou ao se afastar, mas então ele dá a volta e vem na minha direção. — Estou indo embora, e não vou voltar desta vez!

Okay, tchau.

Deslizei o entalhe do martelo na cabeça do prego e o puxei, tentando me livrar de todas as burradas feitas pela manhã. Os músculos dos meus braços estavam retesados e doloridos, e se ele não se mandasse daqui, era bem capaz de eu tentar remover a cabeça dele.

— Estou falando sério, Damon! — ele berrou outra vez, pagando para ver.

Apenas mostrei o dedo médio, sem nem ao menos olhar para ele.

Ouvi o som de latas caindo no chão, e deduzi que ele deve ter chutado algumas pelo caminho enquanto disparava até a porta.

— Ei, que porra é essa? — Ouvi Kai resmungar quando a porta dupla bateu com força. Ele saiu do escritório à frente, atravessando a oficina para vir até onde eu estava trabalhando. — O que está acontecendo?

— Ele é louco — Bryce disse. — E não sabe trabalhar com pessoas!

Dei uma risada baixa.

Ouvi o suspiro exasperado de Kai, porque ele estava tão desesperado quanto eu.

Tipo, sério mesmo. Nenhuma pessoa aqui era capaz de pensar por si só. Você tinha que dizer cada coisinha do caralho, e só Deus na causa se você tivesse que dar mais de uma instrução por vez, porque os cérebros desses imbecis eram pequenos demais para que se lembrassem de tudo e ainda tivessem que respirar ao mesmo tempo.

Finalizei a remoção dos dois últimos pregos e puxei os outros maiores, largando tudo ao lado, livrando-me de qualquer evidência do trabalho porco feito hoje.

— Ele é temperamental, mas é comprometido com o que faz — Kai explicou a Bryce. — Já discutimos isso antes.

— Comprometido? — Bryce choramingou. — Ele arremessou um machado na minha cabeça!

— Se eu tivesse atirado na direção da sua cabeça, era aí que eu teria acertado — grunhi baixinho.

Houve um momento de silêncio, e então ouvi a voz de Bryce:

— Estou fora, cara.

Ajoelhei-me e arranquei o restante dos pregos da outra tábua que ele estragou.

— Bryce, qual é...

— Deixa o cara ir embora — eu disse a Kai.

A porta se abriu outra vez, chocando-se contra a parede, e o resto da equipe que me cercava pigarreou, voltando ao trabalho enquanto Kai se aproximava. Por que ele sempre dava um jeito de aparecer por aqui? Se eu não podia ter Will, que estava lidando com toda aquela merda lá fora, eu preferia qualquer uma das garotas. Michael e Kai me estressavam demais.

— Como você vai conseguir que as coisas sejam concluídas? — ele exigiu saber, e percebi um amontoado de papéis amassados em seu punho.

— De um jeito muito melhor sem aquele idiota por aqui.

— Damon...

No entanto, apenas balancei a cabeça. *Só pare com isso, porra.* Eu precisava finalizar a estrutura de mais três casas de árvore antes que o bebê nascesse em nove dias, isso sem mencionar o término do *design* da fonte em frente à nova biblioteca de Meridian, *além* de descobrir que diabos era um refúgio feminino, porque Catherine O'Reilly cismou que já que o filho tinha uma nova casa de árvore, ela poderia ter algo para si mesma também. Ela estava pagando o dobro para que eu corresse com a obra antes que a neve começasse a cair em alguns meses, então eu não podia me recusar.

Os fotógrafos vieram durante toda a semana para tirar fotos das etapas do trabalho, para abastecer o site que Alex estava tomando conta, e, graças a Deus, fazendo todo o possível para nos colocar online. Eu só queria que as pessoas me deixassem em paz na oficina. Eu trabalhava com mais agilidade quando estava sozinho.

Mas uma parte minha sabia que o problema era comigo. O filho dos Langston queria uma casa na árvore, mas quando descobri que ele era fascinado por piratas, desfiz tudo o que já havia feito antes e comecei a projetar um veleiro. Que porra eu tinha na cabeça?

Olhei para cima e vi a proa e os mastros já construídos, sentindo meus lábios se curvando em um sorriso. Ficaria maravilhoso pra caralho quando estivesse pronto, e valeria a pena o esforço se ele gostasse do resultado.

— Você está um bagaço — Kai me disse. — Você acabou de voltar de Washington, e antes disso, havia retornado da Califórnia; está com um bebê a caminho, os projetos estão aparecendo cada vez mais... — Ele parou de falar e senti sua aproximação. — Não acredito que vou dizer isso, mas acho que você deveria voltar a fumar.

Arqueei uma sobrancelha. Eu não havia desistido totalmente. E, com certeza, nunca o faria.

Erguendo a primeira estrutura, recostei-me à parede para pegar a próxima.

— Você não precisa de funcionários, precisa de um time — Kai disse, me seguindo. — Não vou aceitar mais nenhuma encomenda até ajeitarmos este lugar. Com uma equipe completa. Já até avisei para uma turma na universidade que você está recrutando.

Eu o encarei com o cenho franzido. Ele não estava errado. Eu só não tinha tempo para cuidar disso.

No entanto, Kai continuou:

— Você precisa de um encarregado para cuidar do escritório, precisa de uma equipe de *designers*, além de uma recepcionista, que não seja eu. Já tenho muita coisa para fazer. — Ele massageou o pescoço. — Todo mundo está fazendo o possível para te ajudar, mas você vai ficar muito menos estressado a partir do momento que sua empresa esteja em ordem.

— Tá, tanto faz — resmunguei. — Resolva isso pra mim. Preciso me adiantar no cronograma.

Apenas faça o que quiser e não me encha o saco. Eu sabia que eles estavam me ajudando pra cacete, e estava grato por estarem aqui, porque eu não estava preparado para lidar com todas essas coisas. Eu só queria que alguém ficasse à frente dos negócios, para que eu trabalhasse nos bastidores, projetando, construindo e sendo deixado em paz. Se Will estivesse aqui, ele ficaria responsável por isso e adoraria o trabalho.

Mas ultimamente ele não estava dando as caras. Ele vinha para casa e ficava por alguns meses e depois se mandava de novo, ansioso por uma liberdade que ele nunca desejou antes. Ele, Alex e alguns amigos estavam mochilando pela Escandinávia durante o verão, mas quando eles voltaram para casa, Will ficou por lá e eu já não o via há semanas.

Mas ele não deixava de me dar notícias.

Eu achava que ele estava se sentindo abandonado. Ele via Michael com Rika, Kai com Banks, e eu, com Winter, e sentia dificuldade em se encaixar. Ele estava com a Alex, mas ela não era o que ele precisava, então Will fugia o tempo todo, de forma que não parasse para pensar ou... sentir. Ou lidar com a situação.

Kai se virou e começou a seguir em direção ao saguão, mas parou de repente, pegando o celular do bolso.

— Ai, merda — ele disse. — Onde está o seu telefone?

— Por quê? — murmurei.

— Porque está na hora.

— Na hora de quê?

Ele encarou o telefone, sorrindo para si mesmo.

— Acho que sua namorada também gosta de se adiantar no cronograma. — Então olhou para mim. — Ela entrou em trabalho de parto duas horas atrás. Onde está a porra do seu celular?

Meu coração quase saltou pela garganta. O quê? Tateei meu jeans, procurando ao meu redor.

Droga!

Eu o avistei em cima de uma pilha de tábuas e corri em sua direção, deslizando o dedo pela tela. Tentei ligar a porra do telefone, mas não funcionou.

— Caralho, está sem bateria. Onde ela está? — berrei.

Duas horas. Ela estava em trabalho de parto há duas horas?

No entanto, ele gargalhou.

— Está no hospital. Vamos embora.

Por que ele estava rindo? Talvez ele tenha se esquecido do pânico que sentiu quando seu filho nasceu há alguns meses.

Saí correndo da sala, ouvindo Kai mandar o povo fechar o lugar todo às cinco, e então disparamos para fora do prédio e em direção ao meu carro.

Entramos correndo no hospital, sabendo que a ala da maternidade ficava no terceiro andar já que Banks deu à luz ali em maio. Eu nem sabia que Winter estava na cidade hoje. O que havia de errado comigo, porra? Ela provavelmente mandou mensagem, mas esqueci de colocar o celular para carregar na noite passada, e nem sei há quanto tempo ele estava desligado.

Subimos no elevador e voamos pelo corredor assim que as portas se abriram, seguindo até o balcão de enfermagem, e na mesma hora, avistei Banks sentada em uma cadeira com o bebê dela e de Kai no colo.

Madden.

Mads era o apelido. Mads Mori. O apelido do coitadinho parecia nome de criminoso.

Acariciei seu rosto ao passar por ela, que sorriu largamente, animada. Mads mordiscava, com sua boquinha banguela, o queixo dela, fazendo todos esses sons fofinhos pra caralho.

Mas então um grito cortou o ar e me fez perder o fôlego, e ouvi a voz de um homem e a de Alex, incentivando:

— Estou te segurando!

Sem esperar mais nem um segundo, irrompi pelo quarto, sentindo o coração martelar no peito. Nunca ouvi Winter gritar desse jeito antes. Meu Deus. Era normal gritar assim?

Ela estava deitada na cama, e fui depressa em sua direção, ajudando Alex a mantê-la com o corpo erguido enquanto ela fazia força, sendo que o médico estava entre suas pernas.

— Seis, sete, oito... — a enfermeira continuou a contar.

— Amor — ela ofegou, percebendo que eu estava aqui.

— Nove, dez — eles terminaram a contagem.

E Winter começou a executar a respiração de cachorrinho.

— Fiquei com tanto medo de você não conseguir chegar a tempo — ela disse. — Minha bolsa rompeu quando estávamos fazendo compras, e ele está querendo sair rápido.

— Eu estava com ela — Alex informou.

Enlacei o corpo de Winter e beijei sua testa, bochechas e lábios, assegurando-me de que ela soubesse que eu estava perto.

— Obrigado — agradeci a Alex.

Winter estremeceu, e observei seu rosto, vendo-a morder o lábio inferior enquanto lágrimas deslizavam pelo canto de seus olhos.

E, de repente, era como se ela estivesse com oito anos outra vez, e nossos dedos estivessem quase se soltando naquela casa da árvore, sem que eu pudesse evitar o que estava para acontecer.

— Por que ela está chorando? — berrei, nervoso, com o médico.

— Porque isso dói pra cacete! — ela gritou.

— Então dê a ela algo para a dor, porra!

— Agora é tarde demais — ele murmurou por trás de sua máscara, e então espiou por entre as pernas de Winter. — Além do mais, vocês queriam um parto natural, não é verdade?

— Que porra é essa? — explodi, olhando para ela como se Winter tivesse três cabeças. — Não conversamos sobre nada disso.

Ela grunhiu e se apoiou nos cotovelos.

— Tudo bem, respire fundo e empurre! — o médico orientou. — Um, dois, três, quatro...

— Aaaahhhh! — gritou por entre os dentes, seu corpo inteiro contraindo e tensionando, e eu queria olhar o que estava acontecendo, mas não queria sair de seu lado.

— Cinco, seis, sete... — eles disseram.

Winter estava vermelha e coberta de suor.

— Oito, nove...

Seu rosto se contorceu, e ela deu um pequeno grito. Vi uma lágrima caindo e cerrei os punhos, incapaz de desviar o olhar dela. *Meu Deus, puta merda.* Por que caralho ela recusaria o uso de drogas legalizadas?

— Tudo bem, a cabeça coroou! — o médico disse.

Perdi todo o fôlego e meu estômago embrulhou. Tentei dar uma olhada, mas ela me puxou para trás.

— Não me deixe.

Inclinei-me contra ela e a beijei, mas então comecei a rir, sem conseguir me controlar.

Eu não fazia ideia do motivo, não sabia por que estava sentindo tudo aquilo, mas era incrível. O que quer que fosse.

— Aposto que é um menino — ela disse, hiperventilando.

— Se você perder, vai ter que fazer aquela coisinha na banheira para mim — eu a lembrei de nossa aposta.

Preferimos não saber o sexo do bebê, para que fosse surpresa.

No entanto, ela apenas riu.

— Vou fazer aquilo pra você, de qualquer forma, e você sabe disso — retrucou.

— Okay, mais um empurrão — o homem orientou.

Alex e eu a levantamos outra vez, e ela respirou profundamente, e então encheu o pulmão e prendeu a respiração, fechando os olhos com força para empurrar quando a contagem recomeçou.

— Um, dois, três...

Eu a encarei, pensando num monte de merda enquanto a observava, mas acima de tudo, eu só queria segurá-la perto de mim. Eu não conseguia acreditar que isso estava acontecendo.

— Quatro, cinco...

Eu ia ser um desastre. Eu faria um monte de coisas erradas com ela e este bebê.

— Seis, sete, oito...

Mas, porra, eu os amaria com todo o meu coração. E não me importava em ser perfeito. Eu só queria ser tudo aquilo que o meu pai não foi. Queria repetir esse momento com ela, um milhão de vezes, e já não ligava para as merdas que ainda habitavam dentro de mim, pois eu sabia que era melhor do que ele.

— Nove, dez...

O médico recuou, Winter desabou para trás, e ouvi o choro estridente tomar conta do quarto.

— É um menino! — o homem anunciou.

Olhei por cima e vi bracinhos e perninhas vermelhos enquanto eles desobstruíam sua boca e o examinavam, e então observei quando o trouxeram e colocaram sobre o peito de Winter, cobrindo seu corpinho com uma manta.

Ela sorriu, mas começou a chorar, enlaçando o bebê, e eu apenas fiquei ali parado, incapaz de respirar por um instante.

— Um menino — ela sussurrou. — Eu te disse.

— Jesus Cristo... — Eu sorri, tocando a cabecinha dele de leve, como se tivesse medo de fazer isso. — Puta merda.

Conferi e contei seus dedinhos das mãos e dos pés, conferindo uma de suas pernas compridas quando ele chutou.

— 57,7 centímetros de comprimento, três quilos, novecentos e quarenta gramas de peso — a enfermeira informou às nossas costas.

— Ele é grande — o médico comentou. — Provavelmente vai jogar basquete, Damon.

Dei um sorriso, mas não desviei o olhar da minha garota e do meu filho.

Eu bem que queria que estivéssemos casados a essa altura, mas com a empresa, a turnê dos espetáculos de balé de Winter e a gravidez, acabamos decidindo esperar um pouquinho para fazer tudo direito. Eu queria que fosse do nosso jeito.

Alex saiu do quarto, certamente para avisar a todos que ele havia nascido bem e saudável, e então me lembrei que Will não estava aqui.

Fraquejei por um segundo. Ele deveria estar aqui. De todos os meus amigos, ele era o que deveria estar aqui.

— Como ele é fisicamente? — Winter sussurrou para mim, com a voz rouca.

Acariciei a cabeça de ambos.

— Ele é perfeito, amor. Cabelinho preto, carinha de bravo... — eu disse. — Tão grande, que já poderia correr ao redor daquela fonte na nossa companhia.

Ela riu, e pensei na aparência que ele teria dali a um ano, quando já estivesse andando, correndo, rindo e brincando. Eu queria todo esse barulho. Queria ouvir pela casa toda. Queria que esse som enchesse nossas vidas de hoje em diante.

— Parabéns — o doutor disse enquanto as enfermeiras limpavam o quarto.

Meu olhar estava focado no meu filho.

— Quando ela pode ficar grávida de novo? — perguntei ao médico.

— Damon... — Winter riu baixinho.

O médico também deu uma risada e disse para Winter:

— Acho que ele gosta de ser pai.

No entanto, virei a cabeça e conectei meu olhar ao dele, e sua expressão mudou na mesma hora.

— Ah, você está falando sério... — ele comentou ao perceber que eu não estava rindo.

Ele abriu a boca para dizer mais alguma coisa, mas levou alguns segundos para encontrar as palavras certas.

— Humm, eu diria que em alguns meses — disse, por fim. — A gravidez dela foi bastante saudável. Mas ela precisa de tempo para se recuperar.

E então ele repetiu, devagar e com mais firmeza que antes, com um tom de advertência:

— Ela precisa de tempo para se recuperar, para o corpo se curar.

O canto da minha boca se curvou de leve, achando graça.

Ele achava que eu era um monstro?

Ao longo da noite, Winter foi transferida para outro quarto. A equipe de enfermagem levou o bebê para que pudessem dar um banho, e quando o trouxeram de volta, todos nós o seguramos no colo por um tempo. Finalmente, Banks, Kai, Michael e Rika foram embora, mas pedi para Alex ficar mais um pouco, caso Winter precisasse de alguma coisa, e não queríamos deixá-la sozinha. Fiquei do lado de seu bercinho, vendo-o respirar enquanto sua mãe e ele dormiam, mas como não tive chance de descansar, eu precisava esticar as pernas.

Fui até a cama de Winter e retirei o celular do carregador, sussurrando, em seguida, em seu ouvido:

— Vou dar uma respirada lá fora e já volto.

Ela gemeu baixinho e assentiu, e eu saí do quarto, fechando a porta.

Fui até o elevador e depois de alguns minutos, saí pela porta principal do hospital, sentindo o ar ameno tocar a minha pele assim que alonguei os braços acima da cabeça, bocejando. Inspirei o cheiro do asfalto e de pão fresco, vindo da padaria do outro lado da rua. Liguei para Will e a chamada caiu, mais uma vez, na caixa de mensagem.

Balancei a cabeça, inconformado.

Quase encerrei a ligação, mas uma onda súbita de raiva me fez despejar:

— Você sabia que meu filho nasceria este mês — ralhei. — Por que você não está aqui? Você perdeu o nascimento dele. Sabe de uma coisa? Você é um filho…

No entanto, parei e desliguei, rangendo os dentes, porque não sabia o que dizer.

Babaca.

Depois de um instante, senti-me mal, pois eu não tinha o direito de perder a paciência com ele.

Liguei mais uma vez, esperando que a chamada caísse na caixa de mensagem, e disse:

— Sinto sua falta. Todos nós sentimos. Precisamos de você, beleza?

Meu filho precisa de você. Ele já te escolheu como o favorito dele. Eu sei disso. Só…

Balancei a cabeça, novamente, e desliguei.

Eu não deveria estar zangado. Já passei da minha cota de merdas.

Só que isso era muito importante, e eu queria que ele fizesse parte desta memória.

Quando me virei para entrar outra vez, um aroma conhecido atingiu minhas narinas, me fazendo parar. Sorri para mim mesmo quando me dei conta do que era, esquecendo Will por um segundo.

Virei a cabeça e vi a nuvem de fumaça flutuar por trás do canto do prédio. Quando fui até lá, avistei Rika sentada no bloquete baixo que delimitava o estacionamento; suas pernas estavam esticadas à frente, os tornozelos cruzados enquanto ela fumava um *Davidoff*.

Parei ao lado dela, de pé, e sem nem ao menos olhar para mim, ela estendeu o maço de cigarro e o isqueiro, como se estivesse me esperando.

O que ela estava aprontando? Ela estava agindo de um jeito estranho nos útimos meses, e cheguei a ficar tentado em sequestrá-la outra vez, roubar o iate de Michael, e levá-la para o meio do oceano até que desembuchasse. Não tivemos a chance de conversar mais cedo, mas era óbvio que ela havia voltado por um motivo.

Peguei o maço e retirei um cigarro, acendendo a ponta e me deleitando com o gosto familiar e bem-vindo. Dei mais uma tragada e soprei a fumaça, entregando o pacote e o isqueiro para ela.

— Eu vou informá-la que ela agora tem um neto — Rika afirmou, ainda olhando para frente.

Ah, então era por isso que ela estava aqui sentada, às quatro da manhã? Tentando descobrir como lidar com uma situação que não era da conta dela?

— Diga a ela o que quiser.

Nos meses que se passaram, desde que descobri que a mãe de Rika também era minha, sequer conversei ou tentei fazer contato com Christiane Fane. Ela pagou a minha fiança depois que matei meu pai, mas no que me diz respeito, ela me devia muito, então, não… eu não tinha que agradecer por nada. E ela que se foda.

Vencer uma batalha não era assim tão importante, mas a briga, sim. E ela nem sequer lutou por mim. Tê-la na minha vida não acrescentaria em nada.

No entanto, Rika continuou a protestar:

— Damon, você não pode fazer isso. Ela merece fazer parte da vida dele.

— Você realmente acredita nisso? — perguntei, mesmo que ela nem estivesse olhando para mim. — E se o meu pai nunca tivesse me contado a verdade? Será que algum dia ela me diria? Eu acho que isso não estava nos planos dela.

— Talvez assim que ela soube da morte dele, ela tenha planejado te contar — ela retrucou. E então, se levantou e olhou para mim. — A verdade é que ela te queria. Ela não abortou e nem te colocou para adoção. E ela não foi uma mãe tão excepcional, mas também nunca me machucou. Ela nunca me bateu e sempre me amou.

Sacudi a cabeça, sem querer me importar.

Ou tentando não me importar.

Mesmo assim, uma imagem de Christiane surgiu na minha mente. Ainda jovem, chorando e me segurando em seus braços, antes de o meu pai me arrancar dela. Eu não podia imaginar a dor que ela sofreu.

Mas pisquei, tentando apagar a imagem da minha cabeça. Não. Eu era pai agora, e sabia, sem sombra de dúvida, que nada me tiraria de perto do meu filho. Ela foi fraca por muito tempo. Meu filho não precisava de alguém assim.

— Ela não é a única família que você tem — Rika salientou. — Ela tem inúmeros familiares na África do Sul e na Europa. Você não gostaria que seus filhos fizessem parte dessa grande família?

— Não — retruquei sem hesitar. — Meus filhos terão a mim e à Winter. — Daí olhei para ela e disse: — E você.

Ela entrecerrou os olhos.

— E Banks, Alex, e os caras — acrescentei. — E eles terão seus próprios filhos. Esta é a família deles. É exatamente a família que quero para eles.

E antes que ela pudesse argumentar, joguei o cigarro fora e me afastei, seguindo em direção à porta de entrada do hospital.

— Eu vou te vencer nisso — ela gritou, me ameaçando.

Eu me virei e não consegui conter o sorriso.

— Vou esperar sua próxima jogada — provoquei.

Então passei pelas portas.

Honestamente, eu não estava preocupado. Ela podia até ganhar, mas não seria esta noite, e não aconteceria se eu, realmente, não quisesse. A perspectiva de ter Rika de volta ao jogo era simplesmente muito boa, então... deixa-a tentar.

Eu odiava meu pai por tudo o que ele fez, mas, por mais que odiasse admitir, eu adorava essa parte. Um lado meu sempre se perguntou porque eu me sentia tão fascinado por Rika, mesmo que apenas um pouquinho mais em comparação às outras mulheres, com exceção de Winter e Banks. Sempre me questionei porque o que havia entre nós parecia tão natural e inevitável. Como tive a chance de machucá-la e até mesmo matá-la, inúmeras vezes, mas algo sempre me impediu.

Era claro que ela era uma das minhas. Isso era nítido. E fez todo o sentido na última Noite do Diabo. Tudo parecia se alinhar, e eu já não tinha mais medo.

Exatamente como Banks – como Winter e eu –, Rika era única. Ela foi feita para viver uma vida selvagem e intensa, e eu a queria na minha família.

Atravessei o saguão em direção ao quarto de Winter e fechei a porta assim que entrei. Seu celular estava na mesinha de cabeceira, o som de chuva soando de um aplicativo enquanto ela dormia. Eu me aproximei e olhei para o bercinho, onde o bebê continuava a dormir todo enrolado e aquecido. Mas agora, ele usava um gorrinho preto com letras brancas formando a frase: Novo membro da turma.

Ri baixinho e olhei para Alex apagada na cadeira ao lado dele. Não me lembrava de nada disso entre as roupinhas que Winter comprou. Eu teria que agradecer à Alex, pois a peça era muito engraçada. Ela deve ter acordado e colocado nele enquanto eu estava lá fora.

Baixei a cabeça e o observei. Eu esperava que ele chorasse vinte quatro horas por dia, mas ele era bem calminho. Talvez ele soubesse que estava seguro.

Ou talvez estivesse cansado, e isso mudaria amanhã.

— Como ele está? — Ouvi o sussurro de Winter.

Levantei a cabeça e a vi sentada na cama, o cabelo loiro bagunçado de um jeito lindo ao redor dela.

— Dormindo — respondi.

Eu me inclinei e segurei seu rosto entre as mãos, notando como parecia exausta. Ambos estávamos muito cansados com tudo o que estava acontecendo nos últimos dias, e agora era a hora de dar uma pausa. Queria ter concluído muito mais coisas antes da chegada do bebê, mas não havia tempo para isso agora. Ela precisaria muito de mim nas próximas semanas, no mínimo. Mas, em algum momento, eu teria que contratar alguém para cuidar do nosso filho. Nós sabíamos que isso era um fato.

Por agora, no entanto, seria maravilhoso que fôssemos apenas nós três.

Eu a beijei e ela colocou a mão sobre a minha.

— Preciso de um banho.

Endireitei-me e segurei suas mãos entre as minhas.

— Eu te ajudo.

Levei Winter cuidadosamente até o banheiro adjacente, e me inclinei para cutucar Alex ao passar.

— Alex? — chamei, vendo-a levar um susto. — Fique de olho aí no bebê, tá? Nós vamos tomar um banho.

Ela assentiu e bocejou, e entramos no banheiro, mas deixei a porta um pouco aberta, só por precaução.

Winter não perdeu tempo e se livrou da camisola hospitalar enquanto eu ligava o chuveiro, esperando que a água estivesse morna o bastante. Ela envolveu minha cintura com os braços e se apoiou contra mim, para evitar cair.

— Você está com o cheiro do ensino médio — ela brincou.

— Eu fumei um cigarro — admiti, mesmo que tivesse certeza de que ela sabia que eu fumava de vez em quando. — Eu estava me sentindo bem e empolgado.

— Eu gosto.

Eu não queria que minhas roupas ficassem fedendo a cigarro, ainda mais quando fosse segurar o bebê no colo, mas só a perspectiva de fumar em algum momento, mais para frente, fez com que a 'desistência' se tornasse mais fácil.

Retirei minhas roupas e a levantei nos braços, entrando no boxe com ela no colo.

Assim que a coloquei debaixo da ducha, avistei o sangue sendo lavado de seu corpo e pintando o piso de um tom rosa.

Meu estômago embrulhou um pouco. Eu queria mais filhos, mas não gostava da ideia de fazê-la passar por todo esse tormento de novo. Por mais que eu soubesse que ela ficaria bem assim que seu corpo curasse, também achava injusto que algumas mulheres tivessem que passar por isso cinco, seis vezes. Às vezes, até mais. Era algo bem brutal.

E eu não queria vê-la chorar daquele jeito de novo.

Nós lavamos nosso cabelo e passamos um pouco de condicionador, então peguei uma toalhinha e comecei a esfregar seu corpo, sabendo que ela devia estar dolorida pra caralho para me deixar fazer isso sem reclamar.

— O que você vai fazer? — ela perguntou quando me ajoelhei e comecei a ensaboar suas pernas. — A respeito da Christiane?

Parei por um momento, pensando. Com Rika, eu era orgulhoso demais para me abrir, mas com Winter, eu tinha liberdade.

— Você acha que devo deixá-la fazer parte da vida dele? — sondei, sem olhar para ela.

Ela apoiou as mãos nos meus ombros para se equilibrar quando levantei uma de suas pernas e lavei seu pé.

— Acho que não precisamos nos apressar para tomar qualquer decisão agora — respondeu.

Sorri para mim mesmo. Eu amava esse jeitinho dela. Winter me tornou uma pessoa melhor, porque eu amava vê-la feliz, no entanto, ela nunca me pressionava.

— Nossa família vem em primeiro lugar — acrescentou ela.

— Nossa família… — eu repeti. *Minha família. Minha.*

Continuei limpando sua pele, enxaguando o sangue em suas coxas.

— Você já ficou na beira de um penhasco ou de uma varanda — perguntou —, e por um segundo imaginou como seria se você pulasse?

Ergui as sobrancelhas, confuso.

— Meio que extasiado com a ideia de que você estava a um passo da morte? — Ela apertou meus ombros. — Um passo... — ela disse. — Onde tudo poderia mudar?

— Sim — respondi, baixinho. — Isto simboliza a necessidade de se envolver em comportamentos autodestrutivos. Não é algo tão incomum.

Ao dirigir, nós pensamos, mesmo que por um segundo, em virar o volante de uma vez em direção à pista oposta, ou em pular do alto de um cruzeiro, rumo ao abismo das águas escuras abaixo. São pequenos pensamentos ousados e corajosos que nossa psiquê projeta, porque estamos cansados de não viver intensamente, desejando a sensação do medo. É uma forma de nos lembrar da razão de querermos viver.

E alguns de nós são muito mais propensos a ter esses pensamentos do que outros, diante da emoção de que, a qualquer momento, tudo pode mudar. De não se tratar sobre quem somos, mas o *que* somos, e animais não se desculpam por seja lá o que eles precisem fazer para sobreviver.

— Há uma expressão em francês para isso — ela disse. — *L'appel du vide.*

Olhei para cima, observando seu rosto, os lábios rosados e úmidos pela água quente.

— É isso que nos une — ela emendou.

— Quem?

— Nossa família.

Nossa família?

— Kai, Banks, Michael, Rika, Will, Alex... — prosseguiu. — Você e eu. Todos nós ouvimos isto. *L'appel du vide*. O chamado do vazio.

Parei por um instante e a encarei.

— O chamado do vazio — murmurei.

Ela estava certa? Era isso que nos unia? Iguais se reconheciam, afinal de contas, e nós vivemos com a necessidade de sempre dar um passo à frente para sentir tudo aquilo do que éramos capazes de fazer. O medo era aterrorizante, mas vindo do outro lado, redefinia a nossa realidade.

— Eu gosto disso — admiti.

Ela hesitou por um segundo e então disse:

— Eu te amo.

Meu coração se contraiu com força, como sempre acontecia quando ela me dizia isso. Como se eu me apaixonasse por ela mais uma vez.

Fiquei de pé e enlacei seu corpo, alisando seu cabelo debaixo da ducha.

— Você é tão linda — eu disse. — Ainda que tenha me dado um filho homem, quando, explicitamente, pedi que me desse uma garotinha.

Ela começou a rir.

— Eu não te dei nada! — argumentou. — É o cromossomo masculino que decide o sexo da criança. A culpa é toda sua.

Ambos sorrimos, e esfreguei a ponta do meu nariz ao dela. Eu não fazia ideia do porquê achei que o bebê seria uma menina. Talvez fosse apenas uma esperança. Eu achava que era melhor com garotas. Banks, Winter, Rika... Acho que estava com medo.

— Nós vamos ter que continuar tentando — brinquei.

Ela se aninhou ao meu pescoço, depositando beijos suaves que espalharam arrepios pelo meu corpo.

— Eu te amo — ela sussurrou. — Amo muito...

Meu pau começou a endurecer, e balancei a cabeça, aflito.

— Não faça isso... — implorei. — Você vai fazer com que as próximas semanas sejam mais torturantes ainda.

Não poderíamos transar por sei lá quanto tempo.

— Ele é perfeito, sabia? — Deslizei as mãos pelas suas costas. — Você fez um excelente trabalho. Eu só espero que ele puxe mais a você do que a mim.

Ela assentiu em concordância, e acabei apertando sua bunda em minhas mãos.

Na mesma hora, Winter começou a rir.

— Então... que nome daremos a ele? — perguntou.

— Ainda não decidimos isso?

— Não que eu me lembre.

Fechei os olhos, balançando a cabeça, em total descrença. Meu Deus, eu não fazia a menor ideia. Só não podia ser nome de gente velha ou bíblico. Ah, e nenhum que fosse unissex. Tipo Peyton, Leighton ou Drayton.

— Alguma ideia? — sondou.

No entanto, apenas fiz com que se recostasse contra a parede e a segurei mais apertado contra mim.

— Amanhã — respondi.

Neste exato momento, eu estava mais interessado em me deitar na cama ao lado dela, para dormir o máximo de tempo possível.

O nome não era importante. Ele tinha a cor do meu cabelo, e, amanhã, talvez eu conseguisse ver se ele possuía olhos iguais aos dela.

Se os olhos dele fossem escuros como os meus, então as características não haviam pulado tantas gerações assim, e Christiane estava era de conversa-fiada.

Eu mal podia esperar para descobrir.

Obrigada pela leitura!

SOBRE A AUTORA

Penelope Douglas é uma autora best-seller do *New York Times, USA Today*, e *Wall Street Journal*.

Seus livros já foram traduzidos em catorze idiomas e incluem as séries *The Fall Away* e *Devil's Night*, além dos livros individuais *Misconduct*, *Punk 57*, e *Birthday Girl*.

Fiquem ligados para o próximo lançamento: *Nightfall* (*Devil's Night* #4).

SÉRIE DEVIL'S NIGHT

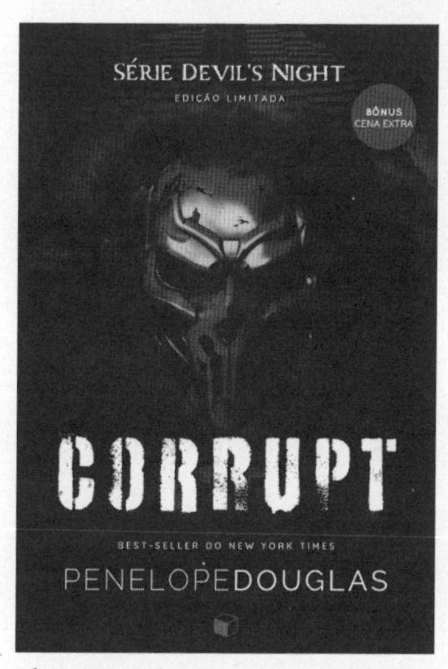

Livro 1:

ERIKA

Sempre me disseram que os sonhos eram os desejos do nosso coração. Meus pesadelos, no entanto, acabaram se tornando minha obsessão.

O nome dele é Michael Crist.

O irmão mais velho do meu namorado se parece com aquele tipo de filme de terror, onde você cobre o rosto com as mãos, mas espia por entre os dedos. Ele é lindo, forte, e totalmente assustador. Sendo uma estrela do basquete profissional, assim como foi no time da faculdade, ele estava mais preocupado com a sujeira em sua sola de sapato do que comigo.

Mas eu o notei.

Eu o vi e ouvi. Todas as coisas que fez, as façanhas... Por anos, apenas roí minhas unhas, incapaz de afastar o meu olhar.

Agora estava recém-formada no ensino médio e a caminho da faculdade, mas nem assim deixei de observar Michael. Ele é mau, e toda as coisas ruins que vi já não podem permanecer apenas em minha mente.

Porque ele finalmente percebeu minha existência.

MICHAEL

O nome dela é Erika Fane, mas todos a chamam de Rika.

A namorada do meu irmão sempre frequentou minha casa, desde criança, e sua presença era constante à mesa do jantar. Todas as vezes que eu entrava na sala, ela abaixava o olhar, e mantinha-se imóvel quando eu me aproximava.

Sempre pude detectar o medo que a rodeava, e mesmo que nunca tenha possuído seu corpo, eu sabia que possuía sua mente. E aquilo era tudo o que eu queria, de qualquer forma.

Até que meu irmão se alistou no serviço militar, deixando Rika sozinha na universidade.

Na minha cidade.

Desprotegida.

A oportunidade era boa demais para ser verdade, assim como o momento. Porque, sabe... três anos atrás ela colocou alguns dos meus amigos do colégio na cadeia, e agora eles estavam em liberdade.

Nós esperamos. Fomos pacientes. E agora... cada um de seus pesadelos se tornaria realidade.

Livro 2:

BANKS

Imerso nas sombras da cidade, há um hotel chamado The Pope. Decadente, deserto e sombrio, encontra-se abandonado e rodeado por um mistério há muito esquecido.

Mas você acha que é verdadeira, não é, Kai Mori? A história a respeito do décimo segundo andar. O mistério que cerca o hóspede sombrio que nunca se registrou para entrar ou sair. Você acha que vou ajudá-lo a encontrar o refúgio secreto para chegar até ele, não é?

Você e seus amigos podem até tentar me assustar. Podem tentar me pressionar. Porque mesmo que eu lute para disfarçar o que sinto quando você olha pra mim — desde adolescente —, acredito que talvez o que está procurando esteja mais perto do que imagina.

Eu nunca vou traí-lo.

Então se prepare.

Na Devil's Night, você será a caça.

KAI

Você não faz a menor ideia do que estou procurando, pequena. Você não sabe o que tive que fazer para sobreviver aos três anos na prisão, quando fui condenado por um crime que cometeria outra vez com o maior prazer.

Ninguém pode saber o que me tornei.

Eu quero aquele hotel, quero encontrá-lo e acabar logo com isso.

Quero minha vida de volta.

Mas quanto mais tempo passo ao seu lado, mais percebo que este novo eu é exatamente quem sempre fui destinado a ser.

Então pode vir, garotinha. Não se acovarde. Minha casa fica na colina. Existem muitas maneiras de entrar, mas apenas com sorte você conseguirá sair.

Eu vi o seu refúgio. Está na hora de você ver o meu.

Livro 3:

WINTER

Mandá-lo para a cadeia foi a pior coisa que já fiz. Não importava se ele havia cometido o crime ou que eu desejava que ele estivesse morto. Talvez eu tenha pensado que teria tempo suficiente para desaparecer antes que ele fosse solto, ou então que ele teria tomado jeito e se tornado alguém melhor.

Mas estava errada. Três anos se passaram rápido demais, e agora ele parecia pior do que nunca. A prisão apenas serviu para que ele tivesse tempo para elaborar um plano.

E por mais que eu tenha previsto sua vingança, não esperava por isso.

Ele não queria só me machucar. Ele queria acabar com tudo.

DAMON

Em primeiro lugar, eu acabaria com o pai dela. Foi ele quem afirmou a todos que eu a obriguei. Ele disse que sua garotinha havia sido uma vítima, mas eu era um garoto também, e ela quis tanto quanto eu.

Segundo... acabar com qualquer possibilidade de fuga para ela, sua irmã e sua mãe. As mulheres Ashby estavam sozinhas agora, e desesperadas por um cavaleiro em uma armadura brilhante.

Mas não era isso que elas encontrariam.

Não, já era hora de dar ouvidos ao meu pai e assumir o controle do meu futuro. Era hora de mostrar a todos eles – minha família, a dela, aos meus amigos –, que eu nunca mudaria e que minha única ambição era me tornar o pesadelo de suas vidas.

Começando com ela.

Ela ficaria tão apavorada, que nem mesmo sua mente seria um lugar seguro quando eu a destruísse. E a melhor parte de tudo é que eu não precisaria invadir sua residência para fazer isso.

Como o novo homem da casa, agora teria livre acesso a ela.

Livro 4:

EMORY

Eles a chamam de Blackchurch. Uma mansão isolada em uma localização desconhecida e remota, onde os ricos e poderosos enviam seus filhos desajustados para que esfriem a cabeça longe dos olhares indiscretos.

Will Grayson sempre agiu como um animal. Irresponsável, selvagem e alguém que nunca se apegou a regras, fazendo sempre o que ele queria. De forma alguma, seu avô se arriscaria à humilhação de ver o nome da família na lama outra vez.

Mesmo que a última vez não tenha sido inteiramente sua culpa. Ele pode até ter gostado muito de me encurralar nos cantos dos corredores da escola quando ninguém estava olhando, para que ninguém percebesse que o Sr. Popular, na verdade, queria colocar a mão na pequena e pacata nerd que ele amava perturbar, mas...

Ele também podia ser cordial. E cruel em uma tentativa de me proteger.

A verdade é que... Ele tem todo o direito de me odiar.

Aquilo tudo é minha culpa. Tudo.

A Noite do Diabo. Os vídeos. As prisões.

Eu sou culpada por tudo isto.

E não me arrependo nem um pouco.

WILL

Eu nunca me importei em estar preso. Aprendi há muito tempo que ser tratado como um animal te dá permissão para agir como um. Ninguém nunca olhou para mim de outra forma.

O único erro deles é achar que qualquer coisa que eu faça, é por acidente. Posso ficar aqui nesta casa sem Internet, televisão, bebidas ou garotas, mas sairei daqui com algo muito mais assustador para aqueles que são meus inimigos.

Um plano.

E uma nova matilha de lobos.

Eu só não esperava que meus inimigos viessem até mim.

Não faço ideia de quem a enfiou aqui dentro ou se realmente a intenção era deixá-la à minha mercê, mas posso farejá-la se escondendo pela casa. Ela está aqui.

E quando a equipe de segurança vai embora depois de deixar os suprimentos, os portões se fecham e a porta da minha jaula é aberta, dando-me livre acesso à mansão e ao terreno da propriedade, por mais um mês sem supervisão alguma... Um sorriso se espalha pelo meu rosto quando me lembro...

Blackchurch abriga cinco prisioneiros. Eu sou apenas um de seus problemas.

Livro 4,5:

Já vimos a turma da Noite do Diabo aterrorizar geral. Agora, vamos vê-los entrar no espírito...

As badaladas do relógio em St. Killian ressoam, enquanto sussurros flutuam escadaria acima. A neve pode ser vista caindo do céu escuro, através das janelas, e as velas cintilam e iluminam a noite mais longa do ano.

A Noite do Diabo não é o único feriado que comemoramos. Esta noite, usaremos uma máscara diferente.

Alguns chamam de Solstício de inverno.

Outros chamam de Natal.

Nós a chamamos de Noite da Fogueira.

A The Gift Box é uma editora brasileira, com publicações de autores nacionais e estrangeiros, que surgiu no mercado em janeiro de 2018. Nossos livros estão sempre entre os mais vendidos da Amazon e já receberam diversos destaques em blogs literários e na própria Amazon.

Somos uma empresa jovem, cheia de energia e paixão pela literatura de romance e queremos incentivar cada vez mais a leitura e o crescimento de nossos autores e parceiros.

Acompanhe a The Gift Box nas redes sociais para ficar por dentro de todas as novidades.

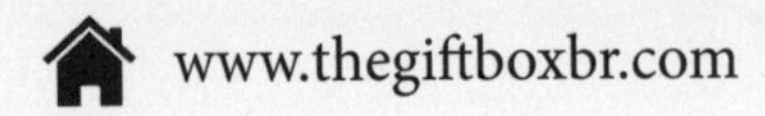

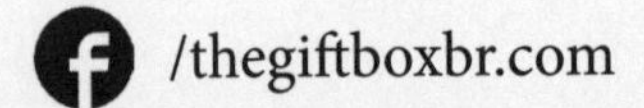

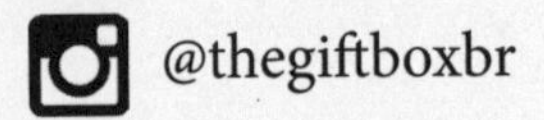